CONTEÚDO DIGITAL PARA ALUNOS

Cadastre-se e transforme seus estudos em uma experiência única de aprendizado:

1. Escaneie o QR Code para acessar a página de cadastro.

2. Complete-a com seus dados pessoais e as informações de sua escola.

3. Adicione ao cadastro o código do aluno, que garante a exclusividade de acesso.

3465100A1938638

Agora, acesse:
www.editoradobrasil.com.br/leb
e aprenda de forma inovadora e diferente! :D

Lembre-se de que esse código, pessoal e intransferível, é valido por um ano. Guarde-o com cuidado, pois é a única maneira de você utilizar os conteúdos da plataforma.

NATUREZA E SOCIEDADE

JOSIANE SANSON
MEIRY MOSTACHIO

MITANGA PALAVRA DE ORIGEM TUPI QUE SIGNIFICA "CRIANÇA" OU "CRIANÇA PEQUENA".

1ª EDIÇÃO
SÃO PAULO, 2020

Dados Internacionais de Catalogação na Publicação (CIP)
(Câmara Brasileira do Livro, SP, Brasil)

Sanson, Josiane
Mitanga natureza e sociedade : educação infantil 1 / Josiane Sanson, Meiry Mostachio. -- São Paulo : Editora do Brasil, 2020. -- (Mitanga)

ISBN 978-85-10-08126-9 (aluno)
ISBN 978-85-10-08127-6 (professor)

1. Natureza (Educação infantil) 2. Sociedade (Educação infantil) I. Mostachio, Meiry. II. Título. III. Série.

20-34996 CDD-372.21

Índices para catálogo sistemático:
1. Natureza e sociedade : Educação infantil 372.21
Cibele Maria Dias - Bibliotecária - CRB-8/9427

Direção-geral: Vicente Tortamano Avanso

Direção editorial: Felipe Ramos Poletti
Gerência editorial: Erika Caldin
Supervisão de arte: Andrea Melo
Supervisão de editoração: Abdonildo José de Lima Santos
Supervisão de revisão: Dora Helena Feres
Supervisão de iconografia: Léo Burgos
Supervisão de digital: Ethel Shuña Queiroz
Supervisão de controle de processos editoriais: Roseli Said
Supervisão de direitos autorais: Marilisa Bertolone Mendes

Supervisão editorial: Carla Felix Lopes
Edição: Jamila Nascimento e Monika Kratzer
Assistência editorial: Beatriz Pineiro Villanueva
Auxílio editorial: Marcos Vasconcelos
Especialista em copidesque e revisão: Elaine Silva
Copidesque: Giselia Costa, Ricardo Liberal e Sylmara Beletti
Revisão: Alexandra Resende, Andreia Andrade, Fernanda Sanchez, Flávia Gonçalves, Gabriel Ornelas, Mariana Paixão, Martin Gonçalves e Rosani Andreani
Pesquisa iconográfica: Adriana Neves e Elena Molinari

Assistência de arte: Daniel Campos Souza
Design gráfico: Cris Viana/Estúdio Chaleira
Capa: Obá Editorial
Edição de arte: Paula Coelho
Imagem de capa: Luna Vicente
Ilustrações: Alexandre Matos, Claudia Marianno, Dayane Raven, Estudio Kiwi, Henrique Brum, Luiz Lentini, Marcos Machado e Paula Kranz
Produção cartográfica: DAE (Departamento de Arte e Editoração),
Editoração eletrônica: NPublic/Formato Editoração
Licenciamentos de textos: Cinthya Utiyama, Jennifer Xavier, Paula Harue Tozaki e Renata Garbellini
Controle de processos editoriais: Bruna Alves, Carlos Nunes, Rita Poliane, Terezinha de Fátima Oliveira e Valéria Alves

1ª edição / 1ª impressão, 2020
Impresso na Ricargraf Gráfica e Editora Ltda.

Rua Conselheiro Nébias, 887
São Paulo, SP – CEP 01203-001
Fone: +55 11 3226-0211
www.editoradobrasil.com.br

APRESENTAÇÃO

A VOCÊ, CRIANÇA!

Preparamos esta nova edição da coleção com muito carinho para você, criança curiosa e que adora fazer novas descobertas! Com ela, você vai investigar, interagir, brincar, aprender, ensinar, escrever, pintar, desenhar e compartilhar experiências e vivências.

Você é nosso personagem principal! Com esta nova coleção, você vai participar de diferentes situações, refletir sobre diversos assuntos, propor soluções, emitir opiniões e, assim, aprender muito mais de um jeito dinâmico e vivo.

Esperamos que as atividades propostas em cada página possibilitem a você muita descoberta e diversão, inventando novos modos de imaginar, criar e brincar, pois acreditamos que a transformação do futuro está em suas mãos.

A boa infância tem hora para começar, mas não para acabar. O que se aprende nela se leva para a vida toda.

As autoras.

CURRÍCULO DAS AUTORAS

JOSIANE MARIA DE SOUZA SANSON

- Formada em Pedagogia
- Especialista em Educação Infantil
- Pós-graduada em Práticas Interdisciplinares na Escola e no Magistério Superior
- Pós-graduada em Administração Escolar
- Experiência no magistério desde 1982
- Professora das redes municipal e particular de ensino
- Autora de livros didáticos de Educação Infantil

ROSIMEIRY MOSTACHIO

- Formada em Pedagogia com habilitação em Orientação Escolar
- Pós-graduada em Psicopedagogia
- Mestre em Educação
- Experiência no magistério desde 1983
- Professora das redes estadual e particular de ensino
- Ministrante de cursos e palestras para pedagogos e professores
- Autora de livros didáticos de Educação Infantil e Ensino Fundamental

SUMÁRIO

UNIDADE 1

VIVA A VIDA!

- Observe a imagem. Que lugar é esse? Você já foi a esse lugar? Comente com os colegas e o professor.

  Circule com canetinha hidrocor os seres vivos que aparecem na imagem.
- Que seres vivos aparecem na imagem?
- O que você sabe deles?

QUE ANIMAL É ESTE?

Destaque as figuras da página 161, monte e cole o quebra-cabeça para descobrir um animal.

- Que animal você descobriu?
- O que você sabe desse animal? De que é coberto o corpo dele? Quantas patas ele tem? Onde ele vive?
- Os animais são seres vivos?

UM ANIMAL MUITO GRANDE

MINHA CAMA

UM HIPOPÓTAMO NA BANHEIRA
MOLHA SEMPRE A CASA INTEIRA.

A ÁGUA CAI E SE ESPALHA,
MOLHA O CHÃO E A TOALHA.

E O HIPOPÓTAMO: "EU NÃO LIGO,
ESTOU LAVANDO O UMBIGO!"

E LAVA E NUNCA SOSSEGA,
ESFREGA, ESFREGA, ESFREGA

A ORELHA, O PEITO, O NARIZ,
AS COSTAS DAS MÃOS E DIZ:

AGORA VOU DORMIR NA LAMA
PORQUE É LÁ A MINHA CAMA.

SÉRGIO CAPPARELLI.
111 POEMAS PARA CRIANÇAS.
PORTO ALEGRE: L&PM, 2003. P. 87.

ANPERRYMAN/ISTOCKPHOTO.COM

JACK HONG/SHUTTERSTOCK.COM

Ouça a leitura do professor e observe as imagens.

- De que animal fala o poema?
- De que tamanho ele é? Grande ou pequeno?

Marque um **X** no animal pequeno e circule o animal grande.

OBSERVANDO ALGUNS ANIMAIS

DOROTTYA_MATHE/ISTOCKPHOTO.COM

AMWU/ISTOCKPHOTO.COM

GLOBALP/ISTOCKPHOTO.COM

319PHOTO/SHUTTERSTOCK.COM

CHENGYUZHENG/ISTOCKPHOTO.COM

GRIGOREV MIKHAIL/ SHUTTERSTOCK.COM

 PELOS

 ESCAMAS

 PENAS

- Observe esses animais. Eles são todos iguais?
- De que é coberto o corpo deles? Pelos, penas ou escamas?

Marque um **X** nos animais de acordo com a legenda de cores que indica a cobertura do corpo deles.

CONTANDO PATINHAS

Outra característica dos animais é a quantidade de patas.

▼ Você conhece algum animal que tenha quatro patas? E um animal com duas patas?

Desenhe um animal que tenha quatro patas e um que tenha duas patas. Depois, escolha um desses animais e escreva, como souber, o nome dele no quadro.

ONDE VIVEM OS ANIMAIS?

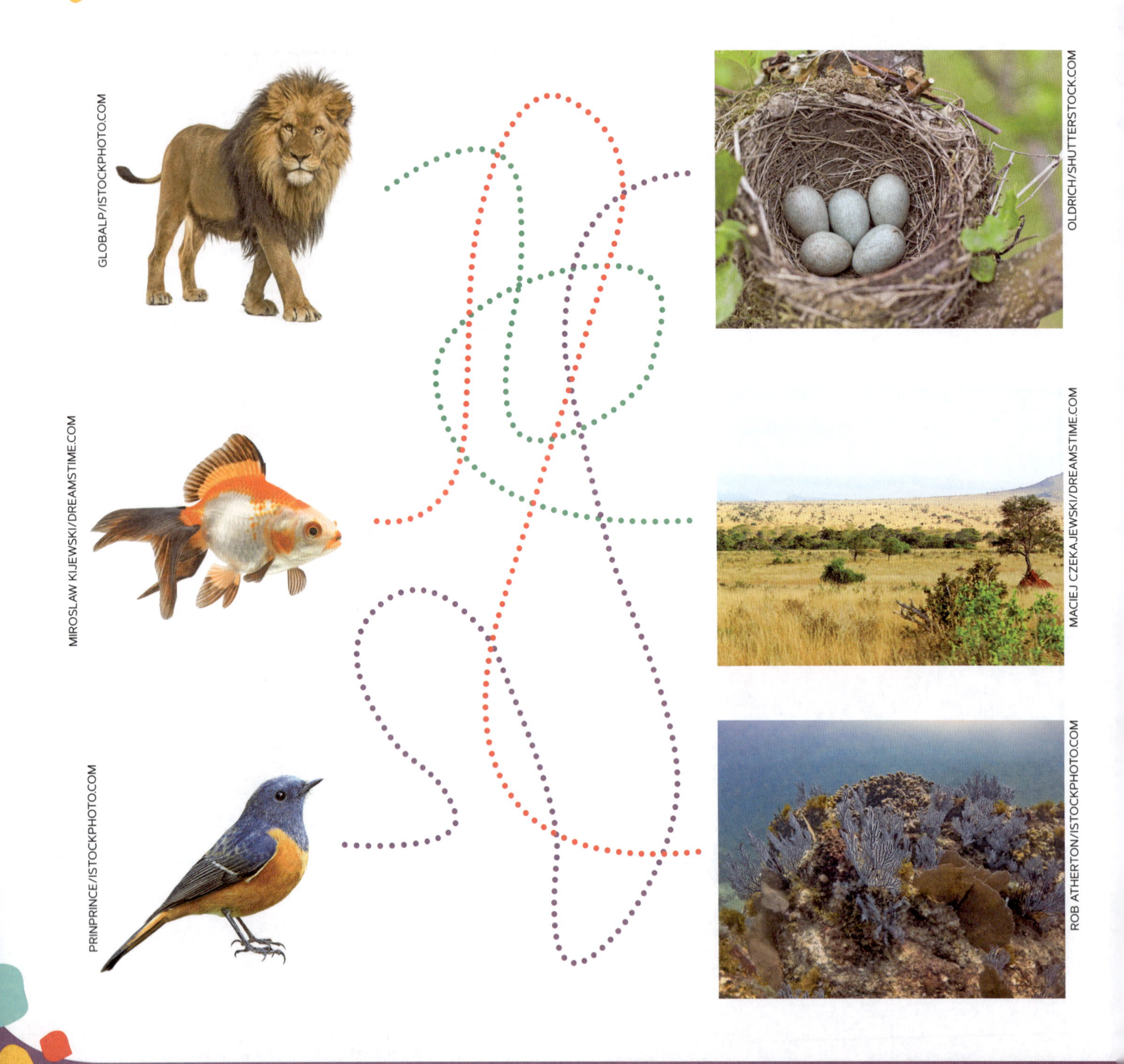

GLOBALP/ISTOCKPHOTO.COM
MIROSLAW KIJEWSKI/DREAMSTIME.COM
PRINPRINCE/ISTOCKPHOTO.COM
OLDRICH/SHUTTERSTOCK.COM
MACIEJ CZEKAJEWSKI/DREAMSTIME.COM
ROB ATHERTON/ISTOCKPHOTO.COM

Observe os animais e diga o nome deles.

▼ Em sua opinião, onde vivem esses animais?

Cubra os pontilhados com canetinha hidrocor e veja onde esses animais costumam viver. Use uma cor para cada linha.

ANIMAIS SILVESTRES NA CIDADE

TATU, GAMBÁ E ATÉ PORCO-ESPINHO INVADEM MARINGÁ [...]

GAMBÁ, MORCEGO, MACACO, TATU E ATÉ PORCO-ESPINHO ESTÃO "INVADINDO" MARINGÁ. A POLÍCIA AMBIENTAL TEM RECEBIDO DIARIAMENTE CHAMADOS PARA RECOLHER ESTES ANIMAIS SILVESTRES. [...]

DICK LOEK/TORONTO STAR/GETTY IMAGES

GAMBÁ.

"ESSE É UM FENÔMENO CHAMADO DE SINANTROPIA, QUE É A ADAPTAÇÃO DE ANIMAIS QUE VIVEM NA NATUREZA NO MEIO URBANO. É O QUE ACONTECEU COM A POMBA, POR EXEMPLO. HOJE TEMOS UMA SUPERPOPULAÇÃO DESSE ANIMAL NA CIDADE. ISSO ACONTECE POR CAUSA DA DEGRADAÇÃO DAS MATAS E FLORESTAS E AÍ ELAS BUSCAM CASA E ALIMENTO NOS CENTROS URBANOS", EXPLICA O COMANDANTE DA POLÍCIA AMBIENTAL DE MARINGÁ, TENENTE ULISSES DE DEUS GOMES. [...]

NAILENA FAIAN. TATU, GAMBÁ E ATÉ PORCO-ESPINHO INVADEM [...]. **GMC ON-LINE**, 27 AGO. 2019. DISPONÍVEL EM: HTTPS://GMCONLINE.COM.BR/NOTICIAS/CIDADE/TATU-GAMBA-E-ATE-PORCO-ESPINHO-INVADEM-MARINGA-SAIBA-O-QUE-FAZER. ACESSO EM: 6 DEZ. 2019.

Ouça a leitura do professor e observe a imagem.

▼ Em sua opinião, por que esses animais estão invadindo a cidade? Converse com os colegas e o professor sobre o assunto.

Depois, desenhe em uma folha à parte o local em que os animais deveriam viver e o que deveriam comer.

ADIVINHE, SE SOUBER!

O QUE É, O QUE É?

SOB O SOL, SOB A CHUVA,
ELA BROTA E CRESCE MUITO LINDA
MUITO VERDE, MUITAS CORES
EXIBINDO TODA A SUA VIDA!

ADIVINHA.

MARCOS MACHADO

Ouça a adivinha que o professor lerá. Para descobrir a resposta, ligue os pontos e pinte a imagem.

- O que você descobriu?
- As plantas também são seres vivos?
- Como podemos perceber isso?

FLOR QUE CRESCE E ENFEITA O JARDIM

A SEMENTINHA

UMA SEMENTINHA DE FLOR,
ESCONDIDA NO CHÃO,
DORMIA UM SONO
SOSSEGADO E BOM.
VEIO A CHUVA,
O SOL BRILHOU!
E A SEMENTINHA
MEXEU, MEXEU E ACORDOU.
ESTICOU OS GALHOS
E FICOU AJEITADA!
DEPOIS... CRESCEU, CRESCEU,
TREPOU NO VARAL!
E CHEINHA DE FLORES,
ALEGROU O QUINTAL.

ISABEL VILAR; LEONILDE RODRIGUES.
HORA DE APRENDER.
PORTO: PORTO EDITORA, [S.D.].

- Você sabe o que é uma semente?

  Acompanhe a leitura do professor. Em seguida, desenhe, ao lado do texto, como ficou a sementinha depois de crescer e se desenvolver.
- O que a sementinha virou?

PLANTA, UM SER VIVO

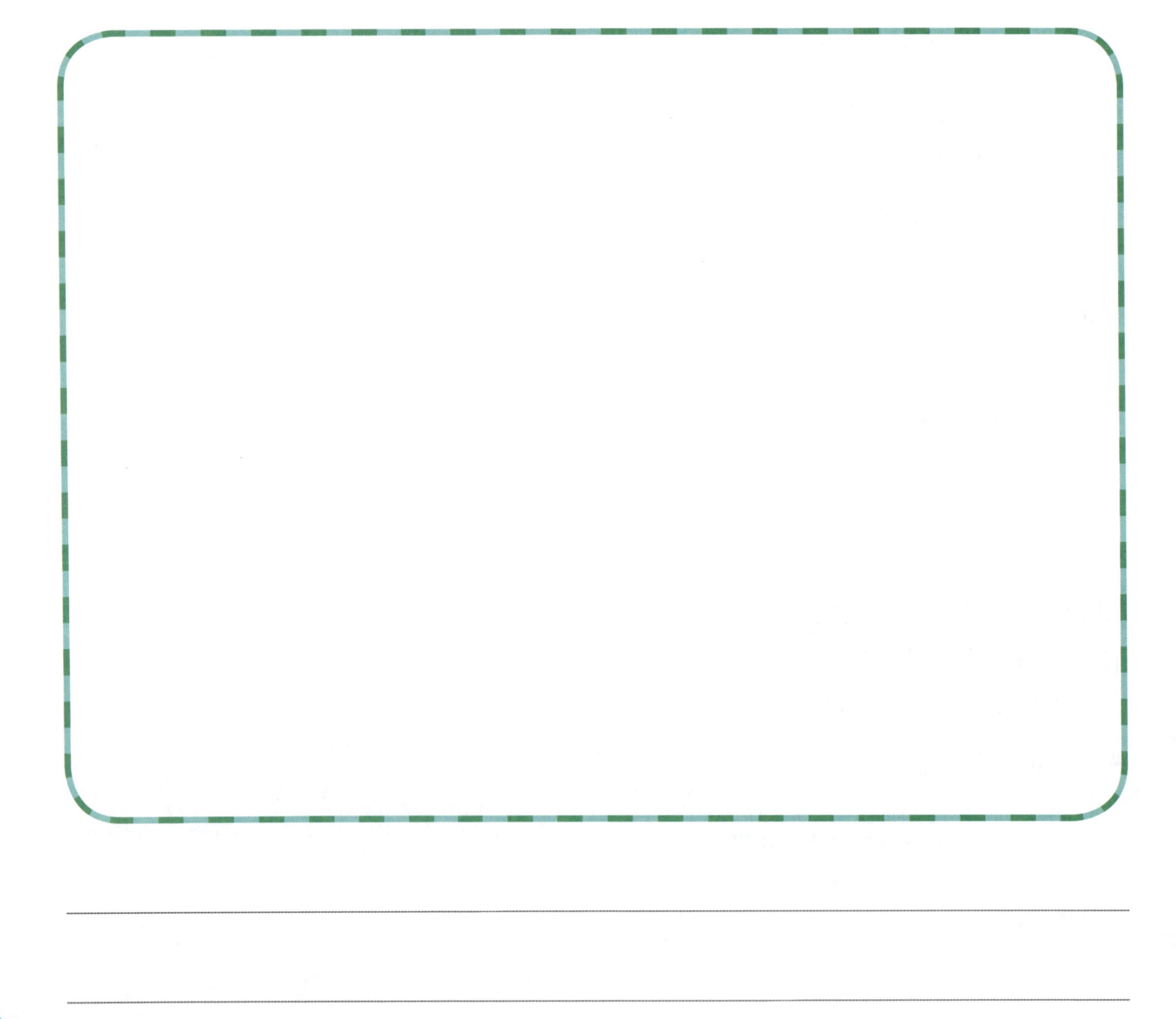

▼ Do que as plantas precisam para viver?

Observe uma plantinha e, depois, desenhe no quadro sua ideia. Em seguida, escreva nas linhas o nome dos elementos que você desenhou.

PARTES DE UMA PLANTA

LUIZ LENTINI

- O que você vê na imagem? Está faltando algum elemento nela?
- Você sabe quais são as partes de uma planta?

Observe uma árvore de verdade e complete a imagem acima com as partes que descobriu. Depois, converse com os colegas e o professor e complemente seu desenho, se necessário.

SERES VIVOS

OS SERES VIVOS NASCEM, CRESCEM, PODEM SE REPRODUZIR E MORREM.

HENRIQUE BRUM

Observe a cena e pinte os seres vivos representados nela.

- Que seres você pintou?
- Como podemos classificar os elementos que ficaram sem pintura?

MUITA VIDA AO NOSSO REDOR

OLHE EM VOLTA

EM SILÊNCIO, PARE PARA OUVIR
OLHE EM VOLTA, SINTA O RESPIRAR,
CANTAM PASSARINHOS,
NUVENS SEGUEM SEU CAMINHO,
FOLHAS SOLTAS VOAM,
E O MAR PARECE SUSSURRAR!
SOMOS PARTE DESSA CRIAÇÃO,
AS ÁRVORES, OS BICHOS, CÉU E MAR [...]

LETRA E MÚSICA CRIADAS ESPECIALMENTE
PARA ESTA OBRA POR MARCOS SCHREIBER.

Ouça e cante a música com os colegas e o professor.

- Do que fala a letra da música?
- Quais são os seres vivos citados nela?

Destaque as imagens da página 145 do encarte, observe as figuras de seres vivos e cole-as ao redor da música para ilustrá-la.

SERES HUMANOS SÃO SERES VIVOS TAMBÉM!

OS SERES HUMANOS TAMBÉM NASCEM, CRESCEM, PODEM SE REPRODUZIR, ENVELHECEM E MORREM.

ILUSTRAÇÕES: CLAUDIA MARIANNO

Observe as imagens e numere as fases de desenvolvimento do ser humano. Depois, observe as diferenças entre elas e converse a respeito com os colegas e o professor.

- Como são as pessoas que aparecem nas imagens?

COMO VOCÊ É?

Cole nesta página uma fotografia sua de corpo inteiro.

- Você sabe o nome das partes de seu corpo?
- Quais são suas principais características físicas?

Observe sua fotografia, escreva o nome das partes do corpo e fale de suas características: cor dos cabelos, dos olhos, da pele, altura, peso etc.

CONHECENDO MEU CORPO

CABEÇA, OMBRO, PERNA E PÉ,
PERNA E PÉ.
CABEÇA, OMBRO, PERNA E PÉ,
PERNA E PÉ.
OLHOS, ORELHAS, BOCA E NARIZ.
CABEÇA, OMBRO, PERNA E PÉ,
PERNA E PÉ [...]

CANTIGA.

HENRIQUE BRUM

 CABEÇA

 TRONCO

 MEMBROS

Cante a música fazendo gestos e movimentando as partes do corpo de acordo com o que diz a letra.

Depois, pinte as partes do corpo da menina seguindo as cores da legenda.

▼ Você conhece outra música que fale sobre o corpo humano?

NOSSOS SENTIDOS

SENSAÇÕES

CHEIRINHO NO AR
EU SINTO AO RESPIRAR.

BARULHINHO ME DIZ
QUE O PÁSSARO CANTA FELIZ.

CORRO NA JANELA
E VEJO O MOÇO NA PASSARELA.

DA FRUTA, SINTO O SABOR
E TAMBÉM SEU FRESCOR.

E O SOL A ESQUENTAR O ROSTO
APRECIO COM MUITO GOSTO!

TEXTO ELABORADO ESPECIALMENTE PARA ESTA OBRA.

Leia o texto com a ajuda do professor e descubra de qual parte do corpo fala cada estrofe. Depois, destaque as imagens da página 157 do encarte e cole-as nos quadrinhos correspondentes.

▼ Você sabe o que são órgãos do sentido?

CUIDANDO DA SAÚDE

COMER LEGUMES, VERDURAS E FRUTAS DIARIAMENTE.	TOMAR BASTANTE LÍQUIDO, PRINCIPALMENTE ÁGUA.
FAZER EXERCÍCIOS FÍSICOS PARA TER O CORPO SAUDÁVEL.	MANTER HÁBITOS DE HIGIENE E ESCOVAR OS DENTES APÓS AS REFEIÇÕES.

Nosso corpo precisa de cuidados.

▼ Você sabe como cuidar de seu corpo?

Converse com os colegas e o professor. Depois, destaque as figuras da página 147 do encarte e cole-as nos quadros para ilustrar os cuidados indicados.

▼ Que outros cuidados devemos ter com o corpo?

COMIDAS SAUDÁVEIS

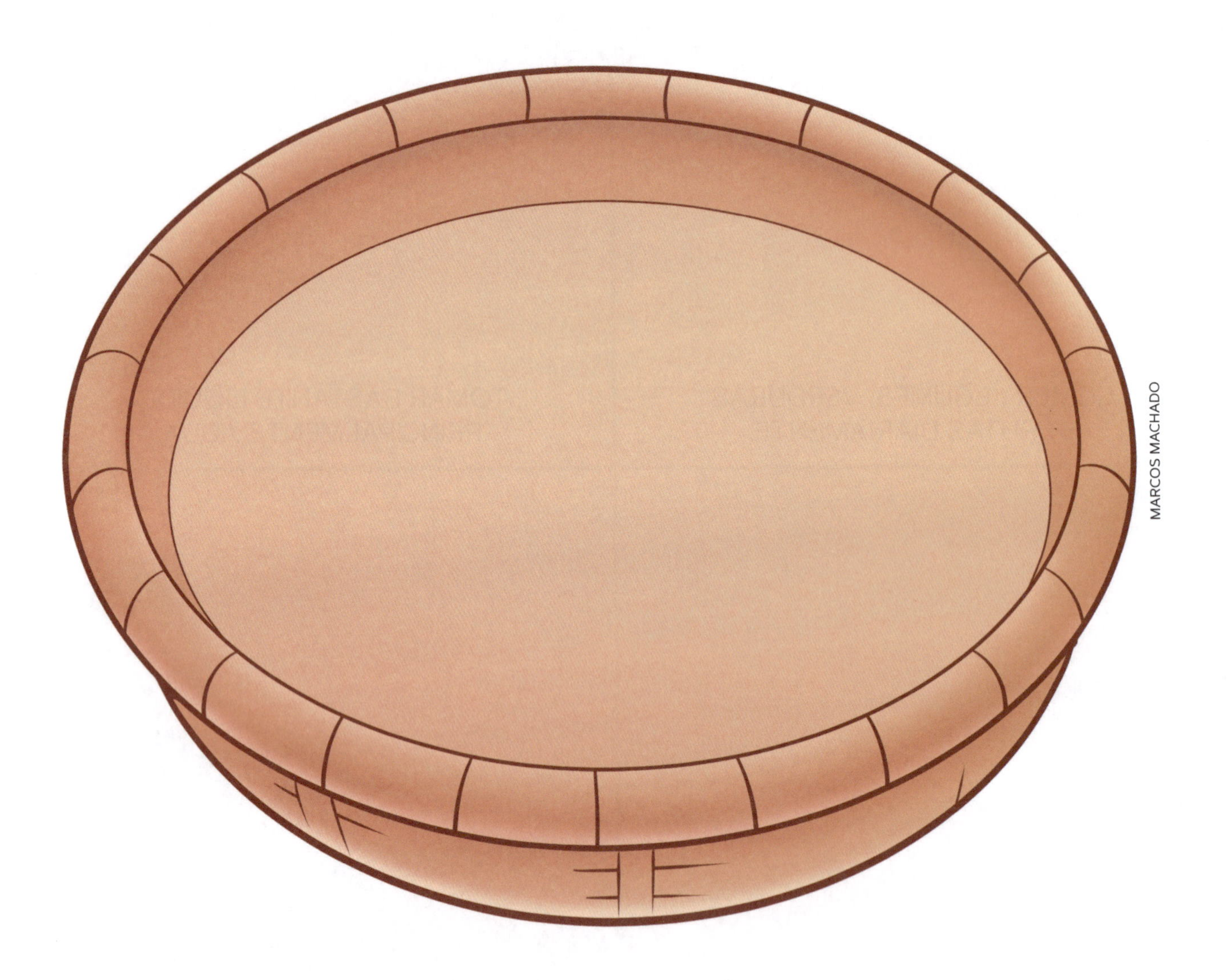
MARCOS MACHADO

- Você sabe o que são alimentos saudáveis?
- Você gosta de comer frutas, verduras e legumes?

Desenhe alguns alimentos saudáveis dentro da cesta e, em seguida, converse com os colegas e o professor sobre o assunto.

NÃO FIQUE PARADO!

ILUSTRAÇÕES: HENRIQUE BRUM

PARA MANTER A SAÚDE, É IMPORTANTE FAZER ATIVIDADE FÍSICA REGULARMENTE.

- O que as crianças estão fazendo?

Siga as orientações do professor e movimente seu corpo fazendo os alongamentos demonstrados pelas crianças.

- O que você sentiu após os exercícios?

UNIDADE 2

O QUE HÁ NO AMBIENTE?

Observe a imagem e cole pedaços de papel formando um mosaico no Sol, na água e nas pedras.

- Que ambiente está representado?
- Quais seres vivos aparecem nele?

Identifique os seres vivos e os elementos do meio ambiente que os ajudam a sobreviver.

ELEMENTOS DA NATUREZA

SERES VIVOS	ELEMENTOS NÃO VIVOS

Observe as imagens da página 147 e 149 do encarte.

- Quais delas representam seres vivos?
- Quais representam elementos não vivos?

Destaque e cole as figuras classificando-as em seres vivos e em elementos não vivos.

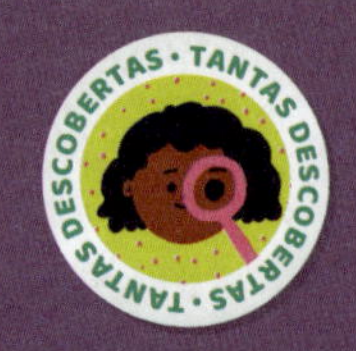

O AR QUE EU RESPIRO

ESTUDIO KIWI

O AR (O VENTO)

ESTOU VIVO, MAS NÃO TENHO CORPO.
POR ISSO É QUE NÃO TENHO FORMA.
PESO EU TAMBÉM NÃO TENHO.
NÃO TENHO COR.

QUANDO SOU FRACO
ME CHAMO BRISA.
E SE ASSOBIO,
ISSO É COMUM.
QUANDO SOU FORTE,
ME CHAMO VENTO.
QUANDO SOU CHEIRO,
ME CHAMO PUM!

VINICIUS DE MORAES. **A ARCA DE NOÉ**: POEMAS INFANTIS. SÃO PAULO: CIA. DAS LETRAS, 1991. P. 30.

Acompanhe a leitura do professor.

- Sobre o que fala o poema?
- Como sabemos que o ar existe?

Cubra o tracejado com canetinha hidrocor para representar o movimento do ar e depois faça uma experiência que comprove a existência desse elemento.

O AR ESTÁ EM TODOS OS LUGARES

BALÃO DE AR

ILUSTRAÇÕES: HENRIQUE BRUM

BIRUTA

HÉLICE EÓLICA

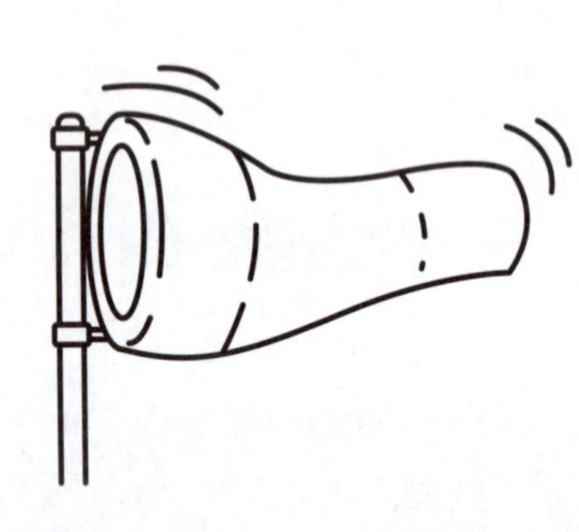

CATA-VENTO

▼ Como podemos perceber o ar?

Leia as palavras com o professor e pinte as figuras de acordo com as cores delas.

CHOVE, CHUVA!

GAROA

A GAROA CAI EXATA,
SUAVEMENTE COMO UM VÉU,
ELA É UMA PONTE DE PRATA
ENTRE A CIDADE E O CÉU.

TERESA NORONHA. **REMAR, RIMAR**. SÃO PAULO: SCIPIONE, 2004. P. 30.

- A água também faz parte do ambiente?
- Onde podemos encontrá-la?

Acompanhe a leitura do professor. Depois, desenhe as gotas de chuva.

LUZ E CALOR

VOCÊ SABE DE ONDE VÊM O CALOR E A LUZ QUE AQUECEM OS SERES VIVOS?

MARCOS MACHADO

- Você sabe de onde vêm o calor e a luz que aquecem os seres vivos?

  Pinte os espaços em que aparecem pontinhos coloridos e descubra.
- Em que momento do dia podemos ver o Sol?

ÁGUA NO DIA A DIA

Converse com os colegas e o professor sobre como utilizamos a água no dia a dia.

Depois, destaque as imagens da página 149 do encarte e cole-as acima.

- Você se lembra de outra utilidade da água?

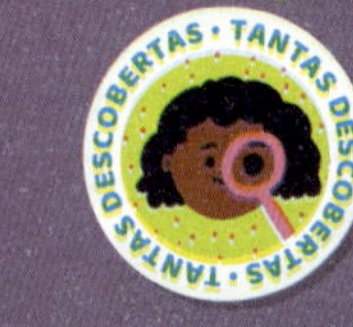

E A NATUREZA, O QUE É?

- Que elementos fazem parte da natureza?
- Na sala há algum exemplo desses elementos?

Converse com os colegas e o professor sobre o que é a natureza para vocês. Depois, faça um desenho para representar algumas coisas que fazem parte da natureza.

DIGA NÃO À POLUIÇÃO!

ALEXANDRE MATOS

- Você já visitou um parque?
- Qual é sua impressão ao observar essa cena? Você concorda com essa situação?
- Como o parque deveria estar?

Pinte somente os elementos que deveriam existir no parque; destaque a natureza e deixe a sujeira e a poluição de fora.

TANTAS DESCOBERTAS · TANTAS DESCOBERTAS ·

FAÇA SUA PARTE E AJUDE A NATUREZA!

PLANTAR ÁRVORES E CUIDAR DO MEIO AMBIENTE.

SEPARAR E RECICLAR O LIXO.

ILUSTRAÇÕES: HENRIQUE BRUM

NÃO DESPERDIÇAR ÁGUA.

DESPERDIÇAR ÁGUA.

Observe as imagens enquanto o professor lê as legendas. Depois, pinte somente as ações que ajudam na preservação da natureza.

- O que você e seus familiares podem fazer em casa para preservar a natureza?

Destaque as peças do jogo da memória das páginas 163 e 165 do encarte e brinque com os colegas.

COLETA SELETIVA

PODEMOS CONTRIBUIR PARA A PRESERVAÇÃO DO MEIO AMBIENTE PRATICANDO A COLETA SELETIVA.

METAL

PAPEL

PLÁSTICO

VIDRO

▼ Você sabe o que é coleta seletiva? E reciclagem?

Com os colegas e o professor, pesquise esse assunto em livros, revistas ou na internet. Depois, destaque da página 151 do encarte imagens de alguns produtos que podemos reciclar e cole-as nos quadros de acordo com a legenda.

LIXO SEPARADO, AMBIENTE PRESERVADO!

PLÁSTICO

VIDRO

ILUSTRAÇÕES: MARCOS MACHADO

▼ Você gosta de um ambiente sempre limpo?

Observe as lixeiras e pinte-as de acordo com a legenda.

CIDADANIA É QUANDO...

...TRATO AS ÁRVORES
COMO AMIGAS
MUITO QUERIDAS
RESPIRO COM ELAS
RESPEITO A VIDA!

NILSON JOSÉ MACHADO. **CIDADANIA É QUANDO...** SÃO PAULO: ESCRITURAS, 2001. P. 8.

SE LIGUE NA REDE

Para aprender mais coisas sobre a natureza e o meio ambiente, acesse os jogos interativos disponíveis no *link* (acesso em: 21 fev. de 2020):

- https://aprendizagemaberta.com.br/page/jogos-infantil-uni

Leia o texto com a ajuda do professor. Depois, faça um desenho para representá-lo.

- Em sua opinião, o que você aprendeu de mais importante nesta unidade?

SOU CRIANÇA E TENHO HISTÓRIA

QUANDO EU ERA NENÉM,
NENÉM, NENÉM,
EU ERA ASSIM...
EU ERA ASSIM...

QUANDO EU ERA CRIANÇA,
CRIANÇA, CRIANÇA,
EU ERA ASSIM...
EU ERA ASSIM...

- Você conhece sua história?
  Cante a cantiga e faça, de acordo com a letra, os gestos que o professor lhe ensinar. Depois, recorte de revistas e jornais imagens de pessoas para representar cada fase de crescimento.

DAYANE RAVEN

QUANDO EU ERA UM JOVEM,
UM JOVEM, UM JOVEM,
EU ERA ASSIM...
EU ERA ASSIM...

QUANDO EU ERA IDOSO,
IDOSO, IDOSO,
EU ERA ASSIM...
EU ERA ASSIM...

CANTIGA.

QUANDO COMEÇA A HISTÓRIA DE UMA CRIANÇA?

- Você sabia que toda criança tem uma história e que as histórias são diferentes umas das outras?

  Destaque as figuras da página 167 do encarte, monte os quebra-cabeças e cole-os acima.

- O que essas imagens representam? Quando começa a história de uma pessoa?

  Converse a respeito disso com os colegas e o professor.

HISTÓRIAS PARA CONTAR

QUANDO EU ERA BEBÊ

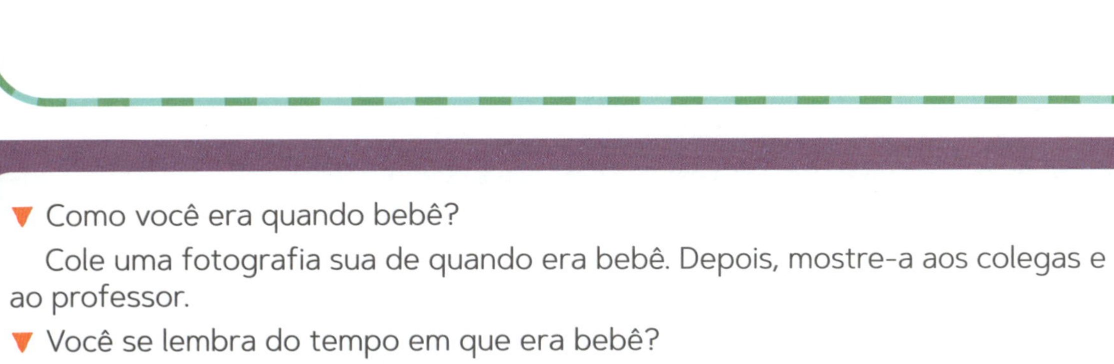

- Como você era quando bebê?

Cole uma fotografia sua de quando era bebê. Depois, mostre-a aos colegas e ao professor.

- Você se lembra do tempo em que era bebê?
- Você se parece com alguém de sua família? Conte aos colegas e ao professor.

CADA UM TEM SUA HISTÓRIA

ALEXANDRE MATOS

NASCIMENTO DO GABRIEL

GABRIEL COM 1 ANO

GABRIEL COM 2 ANOS

GABRIEL COM 4 ANOS

▼ Quando você nasceu?

Conheça um pouco da história de Gabriel. Destaque as figuras da página 153 do encarte e complete o álbum de fotos de acordo com as legendas.

OS BEBÊS PRECISAM DE CUIDADOS

SVETLANAFEDOSEYEVA/SHUTTERSTOCK.COM

WAVEBREAKMEDIA/SHUTTERSTOCK.COM

IMAGESBYBARBARA/ISTOCKPHOTO.COM

NOMAD/ISTOCKPHOTO.COM

STOCK_COLORS/ISTOCKPHOTO.COM

SKYNESHER/ISTOCKPHOTO.COM

- O que cada uma das imagens representa?
- Será que os bebês precisam de um adulto que cuide deles?
- Quem cuidou de você quando era bebê?

Converse com os colegas e o professor. Depois, marque com um **X** a imagem que mostra um bebê sendo amamentado.

QUEM É VOCÊ?

RECEITA DE SE OLHAR NO ESPELHO

SE OLHE DE FRENTE
DE LADO
DE COSTAS
DE CABEÇA PARA BAIXO
PINTE O ESPELHO
DE AZUL DOURADO VERMELHO
FAÇA CARETAS RIA SORRIA
FECHE OS OLHOS ABRA OS OLHOS
E SE VEJA SEMPRE SURPRESA
QUEM É VOCÊ?

ROSEANA MURRAY. **RECEITAS DE OLHAR**.
SÃO PAULO: FTD, 1998. P. 12.

ESTUDIO KIWI

Ouça a leitura do professor.

- De que trata o poema?
- O que o texto diz que deve ser feito quando você está diante de um espelho?

Observe-se em um espelho e responda à pergunta feita no final do poema.

EU CRESCI E...

HOJE SOU ASSIM.

MEU NOME É...

MINHA IDADE É...

- Como você é hoje?

  Desenhe seu autorretrato de como você é hoje. Depois, ouça a leitura do professor e complete os espaços com informações sobre você.
- Você sabe quem escolheu seu nome? Conte aos colegas e ao professor.

UM POUCO MAIS SOBRE MIM

MEUS CABELOS SÃO... 

CURTOS

COMPRIDOS

LISOS

CRESPOS

MEUS OLHOS SÃO...

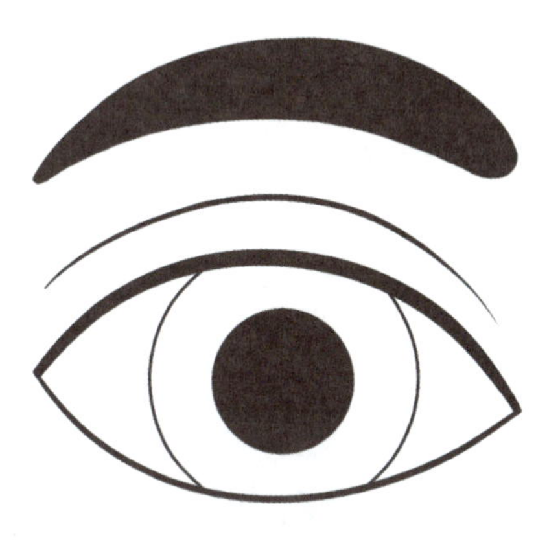

- De que cor são seus cabelos? Como eles são?

  Ouça a leitura do professor e pinte o quadrinho com a cor de seus cabelos. Depois, circule as palavras que representam como são seus cabelos.
- De que cor são seus olhos?

  Pinte os olhos com a mesma cor dos seus.

CONSIGO FAZER SOZINHO

ILUSTRAÇÕES: HENRIQUE BRUM

Observe as cenas.

- O que as crianças estão fazendo?
- Quais dessas atividades você consegue fazer sozinho?

Com lápis de cor, circule as cenas que mostram o que você consegue fazer sozinho.

COMO É MEU DIA A DIA

- Como é sua rotina?

Conte para os colegas e o professor a rotina de suas atividades, ou seja, o que você costuma fazer todos os dias desde a hora em que acorda até a hora em que vai dormir.

Depois, destaque as cenas da página 155 do encarte e cole-as acima seguindo a ordem em que você as realiza no dia a dia.

- Você costuma fazer outras atividades além dessas?

MINHA FAMÍLIA

- Com quem você mora?
- Quantas pessoas há em sua família?

Recorte de jornais e revistas figuras de pessoas para representar os membros de sua família e cole-as no espaço acima.

Depois, fale de sua família para os colegas e o professor.

AS FAMÍLIAS SÃO DIFERENTES

HÁ FAMÍLIAS GRANDES, COM MUITOS MEMBROS.

ESB PROFESSIONAL/ SHUTTERSTOCK.COM

HÁ FILHOS QUE MORAM SÓ COM O PAI OU SÓ COM A MÃE.

MONKEYBUSINESSIMAGES/ ISTOCKPHOTO.COM

HÁ FILHOS QUE MORAM COM O PAI E A MÃE.

ALDOMURILLO/ISTOCKPHOTO.COM

HÁ FAMÍLIAS NAS QUAIS OS NETOS MORAM COM OS AVÓS.

MONKEY BUSINESS IMAGES/ DREAMSTIME.COM

- Como é sua família?

  Observe as fotografias, ouça a leitura do professor e ligue-as à descrição correta.
- Sua família se parece com alguma das famílias das fotografias?

LAZER EM FAMÍLIA

ILUSTRAÇÕES: PAULA KRANZ

- O que essas famílias estão fazendo?
- Onde elas estão?
- Em quais desses lugares você gostaria de ir com sua família?

Observe as cenas e marque um **X** nas imagens que representam as atividades de lazer que você gostaria de fazer com sua família.

MINHA FAMÍLIA E EU FAZEMOS JUNTOS

- O que você costuma fazer quando está com sua família?

  Cole uma fotografia que mostre você e sua família em um momento de lazer. Depois, apresente a fotografia aos colegas e ao professor e conte-lhes como vocês costumam se divertir.

VOCÊ CONHECE ESTE LUGAR?

- [ ] CLUBE
- [ ] ESCOLA
- [ ] FESTA
- [ ] COMÉRCIO

HENRIQUE BRUM

- O que está representado na imagem?
- Você gosta de ir a esse lugar?

Ouça a leitura do professor e marque um **X** no quadrinho que indica o nome desse lugar.

COMO É SUA ESCOLA?

NA MINHA ESCOLA SE APRENDE
QUE NÃO EXISTE PERFEIÇÃO
E O QUE TODOS NÓS PRECISAMOS
É DE CARINHO E ATENÇÃO.

ROSSANA RAMOS. **NA MINHA ESCOLA TODO MUNDO É IGUAL.** SÃO PAULO: CORTEZ, 2007. P. 4.

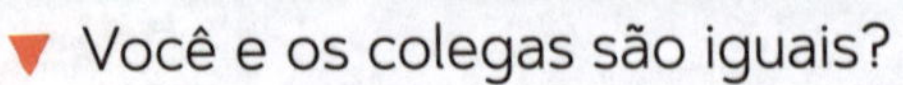

- Você e os colegas são iguais?
- Em sua opinião, é importante respeitar as diferenças?

Acompanhe a leitura do professor. Depois, faça um desenho de sua turma. Apresente-o dizendo em voz alta o nome dos colegas que você desenhou.

EU E MINHA ESCOLA

- Em quais ambientes da escola são feitas essas atividades?
  Observe as imagens e, com giz de cera, trace o caminho até o local da escola onde é realizada cada atividade.
- O que você mais gosta de fazer na escola? Conte para os colegas e o professor.

DIA A DIA NA ESCOLA

ENTRADA

FERNANDO FAVORETTO/CRIAR IMAGEM

HORA DA RODA

FERNANDO FAVORETTO/CRIAR IMAGEM

HIGIENE PESSOAL

DIRCEU PORTUGAL/FOTOARENA

HORA DA ATIVIDADE

FERNANDO FAVORETTO/CRIAR IMAGEM

CLAUDIA MARIANNO

HORA DO LANCHE

FERNANDO FAVORETTO/CRIAR IMAGEM

SAÍDA

FERNANDO FAVORETTO/CRIAR IMAGEM

- Como é seu dia na escola?

  Observe as imagens e identifique alguns momentos da rotina escolar.

  Circule de **verde** a cena que mostra o momento da chegada à escola e de **roxo** a cena que mostra o momento da higiene pessoal.

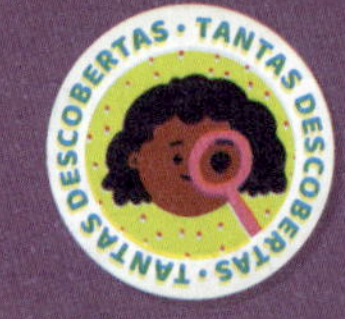

UM LUGAR PARA APRENDER E CONVIVER

NA ESCOLA, ALÉM DE APRENDERMOS MUITAS COISAS, CONVIVEMOS COM DIFERENTES PESSOAS. E, PARA TORNAR ESSA CONVIVÊNCIA AGRADÁVEL, É IMPORTANTE SEGUIR ALGUMAS REGRAS.

CUIDE DO MATERIAL ESCOLAR.	JOGUE O LIXO NO LIXO.
RESPEITE A VEZ DE FALAR DO COLEGA.	SEJA EDUCADO COM TODOS.

Ouça a leitura do professor e faça um desenho para ilustrar a regra de convivência indicada em cada quadro.

- Em sua opinião, é importante seguirmos regras de convivência?

GRUPOS SOCIAIS

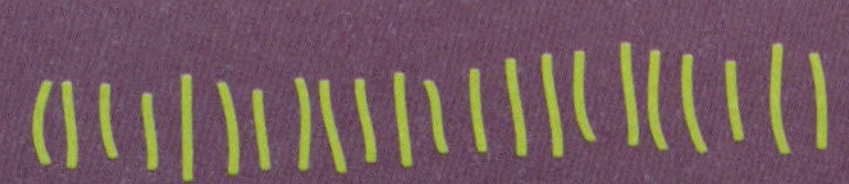

UNIDADE 4

O TEMPO PASSA E AS COISAS MUDAM

MARCO_BONFANTI/ISTOCKPHOTO.COM

ANDREY METELEV/DREAMSTIME.COM

ELIZAVETA SHCHERBAK/SHUTTERSTOCK.COM

TOMMY LEE WALKER/SHUTTERSTOCK.COM

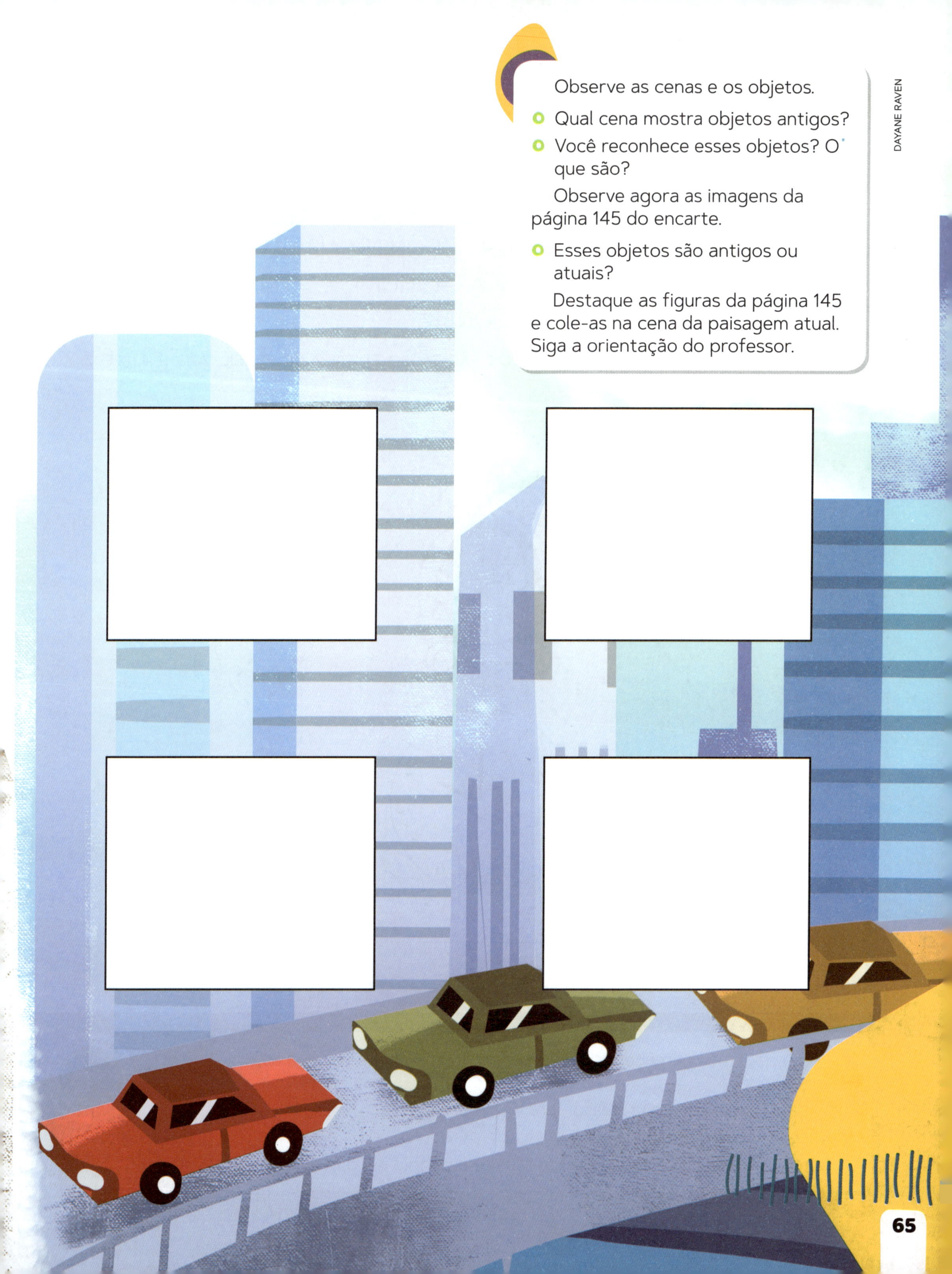

Observe as cenas e os objetos.

- Qual cena mostra objetos antigos?
- Você reconhece esses objetos? O que são?

Observe agora as imagens da página 145 do encarte.

- Esses objetos são antigos ou atuais?

Destaque as figuras da página 145 e cole-as na cena da paisagem atual. Siga a orientação do professor.

DAYANE RAVEN

ANTIGAMENTE ERA ASSIM

NO TEMPO DOS MEUS BISAVÓS, TUDO ERA MUITO DIFERENTE... [...]

QUASE TODO MUNDO TINHA UM "CUCO". UM RELÓGIO GRANDE, DE MADEIRA, QUE TINHA UMA JANELINHA DE ONDE SAÍA UM PASSARINHO E CANTAVA "CUCO, CUCO..." PARA MARCAR AS HORAS E OS MINUTOS. E AINDA TINHA QUE DAR CORDA PARA FUNCIONAR! [...]

NYE RIBEIRO. **NO TEMPO DOS MEUS BISAVÓS**. SÃO PAULO: EDITORA DO BRASIL, 2013. P. 4, 12 E 13.

MARCOS MACHADO

- Como podemos perceber as mudanças ao nosso redor? Por que as coisas mudam?

  Ouça a história que o professor lerá.
- Você já viu um relógio cuco?

  Com giz de cera, cubra o tracejado e pinte o relógio cuco bem bonito.

OS OBJETOS MUDAM COM O TEMPO

PHOTOTALK/ISTOCKPHOTO.COM

STOCK2YOU/SHUTTERSTOCK.COM

JOHN_KASAWA/ISTOCKPHOTO.COM

ROB WILSON/AFRICA STUDIO/SHUTTERSTOCK.COM

Observe esses relógios.

- Eles se parecem com o relógio cuco?
- Como eles são? De que materiais são feitos?
- Como eles funcionam?

Circule os relógios que você conhece.

BRINQUEDOS DE OUTROS TEMPOS

GIOAVANNI SEABRA/DREAMSTIME.COM
KRISTOF DEGREEF/ SHUTTERSTOCK.COM
DJA65/SHUTTERSTOCK.COM

Observe esses brinquedos e converse com os colegas e o professor.

- Você acha que eles são atuais ou antigos? Você já brincou com algum deles?

Recorte de jornais e revistas figuras de dois brinquedos que você considera atuais e cole esses brinquedos no quadro.

- Quais brinquedos você colou?

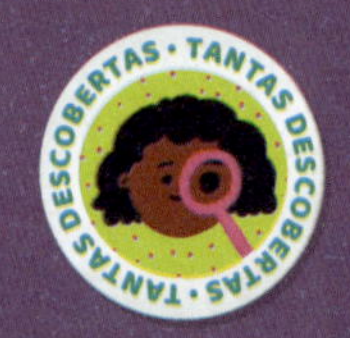

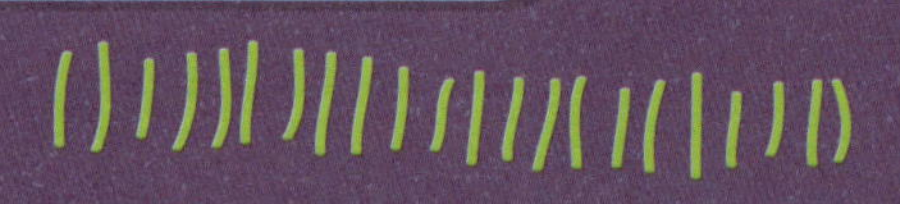

BONECAS DE ANTIGAMENTE

A BONECA

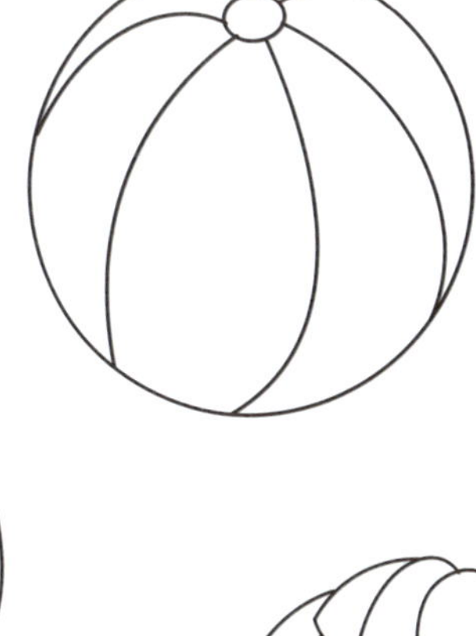

ILUSTRAÇÕES: LUIZ LENTINI

DEIXANDO A **BOLA** E A **PETECA**,
COM QUE INDA HÁ POUCO BRINCAVAM,
POR CAUSA DE UMA **BONECA**,
DUAS MENINAS BRIGAVAM. [...]

QUEM MAIS SOFRIA (COITADA!)
ERA A BONECA. JÁ TINHA
TODA A ROUPA ESTRAÇALHADA,
E AMARROTADA A CARINHA.

TANTO PUXAVAM POR ELA,
QUE A POBRE RASGOU-SE AO MEIO,
PERDENDO A ESTOPA AMARELA,
QUE LHE FORMAVA O RECHEIO. [...]

OLAVO BILAC.

Ouça a leitura do professor.

- Que brinquedos são citados no poema?
- De que era feita a boneca citada no poema? De qual material são feitas as bonecas atualmente?

Observe os brinquedos ilustrados e pinte apenas os que foram citados no poema.

OS MEIOS DE COMUNICAÇÃO MUDARAM

NAQUELE TEMPO, OS TELEFONES ERAM ESCUROS E PESADOS. PARA FALAR COM ALGUÉM, AS PESSOAS TINHAM DE, PRIMEIRO, GIRAR A MANIVELA E CHAMAR A TELEFONISTA [...].

NYE RIBEIRO. **NO TEMPO DOS MEUS BISAVÓS**. SÃO PAULO: EDITORA DO BRASIL, 2013. P. 14.

ROLAND MAGNUSSON/SHUTTERSTOCK.COM

CHUCK RAUSIN/SHUTTERSTOCK.COM

BABAYEV/ISTOCKPHOTO.COM

TIMZILLION/ISTOCKPHOTO.COM

- Que aparelho podemos usar para falar com alguém que está longe?
- Como eram os telefones antigos? E os atuais?

  Ouça a leitura do professor e circule de **verde** o telefone de que fala o texto e de **vermelho** o telefone mais moderno e atual.
- Você já ligou para alguém?

  Conte para os colegas e o professor como foi.

MÃOS À OBRA

TELEFONE DE COPO

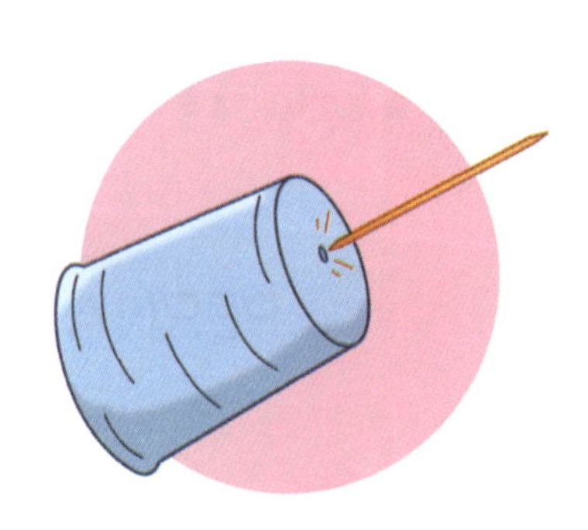

MATERIAL:

- 2 COPOS DE PLÁSTICO DESCARTÁVEIS;
- 3 METROS DE BARBANTE;
- PALITO DE DENTE (PARA FURAR O FUNDO DO COPO).

MODO DE FAZER

1. COM O PALITO, FAÇA UM PEQUENO FURO NO FUNDO DOS COPOS.
2. PASSE O BARBANTE PELOS FUROS, DE FORA PARA DENTRO, E DÊ UM NÓ EM CADA PONTA.
3. JÁ ESTÁ PRONTO! PARA O BRINQUEDO FUNCIONAR, O BARBANTE PRECISA ESTAR BEM ESTICADO.

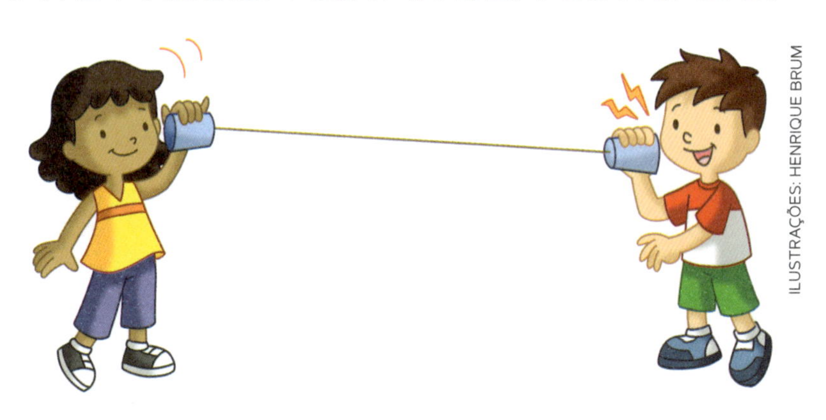

ILUSTRAÇÕES: HENRIQUE BRUM

▼ Você já confeccionou algum brinquedo?

Com a ajuda do professor, separe o material indicado e siga o passo a passo para montar um telefone de copo. Depois de pronto, brinque com um colega.

OUTRAS CRIANÇAS, OUTRAS FORMAS DE BRINCAR

PERNA DE PAU

BOLINHA DE SABÃO

PIÃO

PETECA

Destaque as peças da página 169 do encarte, monte o quebra-cabeça e cole-o acima.

- Quem são essas crianças?
- Você sabe o nome dessa brincadeira?

Ouça a leitura do professor e circule o nome da brincadeira.

AS ROUPAS DAS CRIANÇAS MUDARAM...

EVERETT COLLECTION/SHUTTERSTOCK.COM

RAWPIXEL.COM/SHUTTERSTOCK.COM

- Para que servem as roupas?

Observe nas imagens o modo de se vestir das crianças e pinte de **marrom** a moldura da fotografia atual e de **rosa** a moldura da fotografia antiga.

Converse com os colegas e o professor sobre as mudanças no modo de vestir.

ESCOLHENDO A ROUPA

ILUSTRAÇÕES: MARCOS MACHADO

- Qual é sua roupa favorita?
  Conte para os colegas e o professor.
- Você já sabe se vestir sozinho?
  Pinte as roupas que você gosta de usar.
- Quais peças de roupa você pintou?

O MATERIAL ESCOLAR TAMBÉM MUDOU

NODEROG/ISTOCKPHOTO.COM

KA2SHKA/ISTOCKPHOTO.COM

QUICK-SALE.DE/SHUTTERSTOCK.COM

THINKSTOCK/GETTY IMAGES

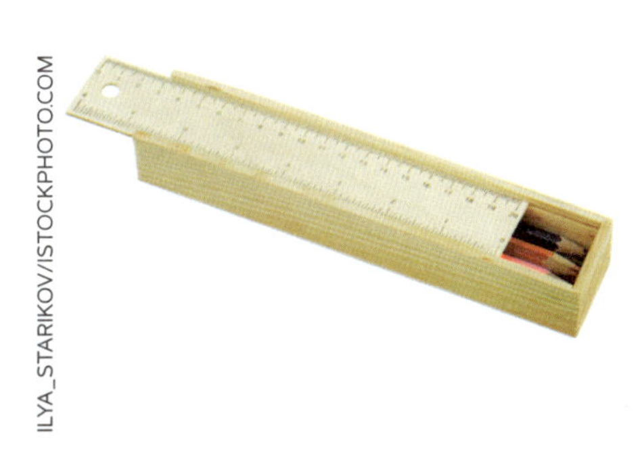
ILYA_STARIKOV/ISTOCKPHOTO.COM

COPRID/ISTOCKPHOTO.COM

Observe o material escolar de antigamente e ligue-o ao material correspondente utilizado hoje em dia.

- Que mudanças você percebeu?
- Em sua opinião, os objetos ficaram melhores ou mais práticos?

UNIDADE 5

A MORADIA DE CADA UM

- O que está representado na imagem?
- No lugar onde você mora existem construções como essas?
- Para que serve a moradia das pessoas?

Desenhe uma casa e um prédio para completar a imagem.

DAYANE RAVEN

CASAS DIFERENTES

CADA CASA CASA COM CADA UM

CASA FURADA PARA ENTRAR E SAIR. [...]
CASA INTELIGENTE E BELA. [...]
CASA QUE VIRA ESCONDERIJO. [...]
E SUA CASA? COMO É?

ELLEN PESTILI. **CADA CASA CASA COM CADA UM**. SÃO PAULO: EDITORA DO BRASIL, 2013. P. 4, 18, 20 E 23.

ILUSTRAÇÕES: CLAUDIA MARIANNO

- Quem será que mora nessas casas? Descubra com o professor e depois pinte as figuras.
- Como é sua casa? Conte para os colegas e o professor.

ONDE VOCÊ MORA?

- Você gosta do lugar onde mora?
- Você tem amizade com seus vizinhos?
- Como são as casas de sua vizinhança?

Faça um desenho para representar sua casa e a de seus vizinhos.

CASA DE TODOS OS TIPOS

- As moradias são todas iguais?
- Você já observou a diversidade de moradias nas proximidades de sua casa?

Recorte de jornais e revistas imagens de diferentes tipos de moradia e cole-as acima. Depois, converse com os colegas e o professor sobre as características delas.

OBSERVANDO AS DIFERENÇAS

EU MORO NUM APARTAMENTO COM VARANDA NO TERCEIRO ANDAR DE UM PRÉDIO.

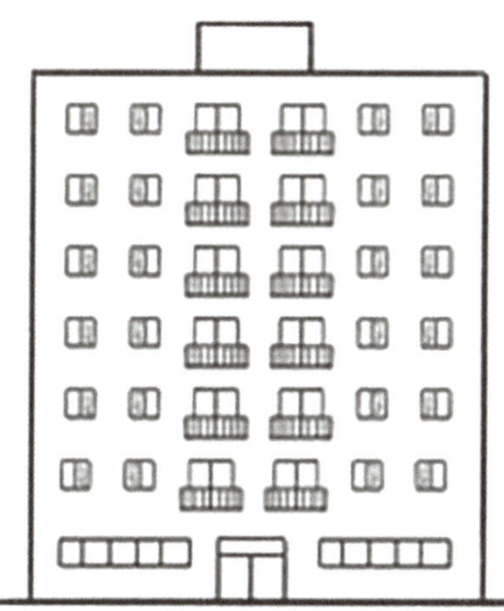

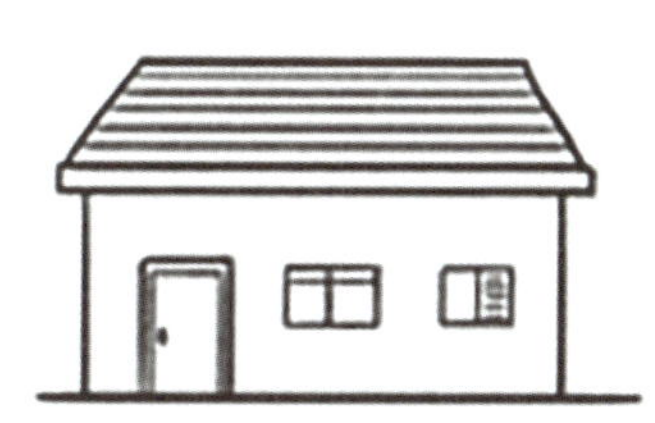

ILUSTRAÇÕES: CLAUDIA MARIANNO

Esta é Tatiana. Ouça a leitura do professor e pinte a casa dela de acordo com a descrição.

- Em que tipo de moradia Tatiana mora?
- Sua casa se parece com a de Tatiana? Circule a moradia que mais se parece com a sua.

MONTANDO UMA CASA

ILUSTRAÇÕES: CLAUDIA MARIANNO

Observe a casa de Pedro.

- Está faltando alguma coisa nela?

Destaque as peças da página 159 do encarte e complete a casa com as partes que faltam.

Depois, destaque e cole Pedro do lado **direito** da casa e o cachorro dele do lado **esquerdo**.

- Como é a casa de Pedro?

MEU CANTINHO PREFERIDO

- Como é sua casa por dentro?
- Como ela é dividida?

Conte para os colegas e o professor e depois desenhe a parte dela em que você mais gosta de ficar.

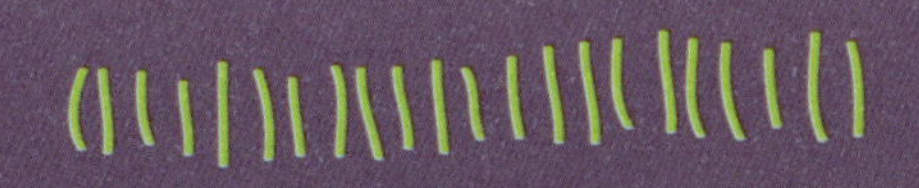

OS ESPAÇOS E SUAS UTILIDADES

ILUSTRAÇÕES: CLAUDIA MARIANNO

Observe as crianças e ligue-as ao cômodo que cada uma usará.

- O que você mais gosta de fazer em cada um desses cômodos?
- Que outros cômodos uma casa pode ter? Converse com a turma a respeito disso.

O LUGAR MAIS GOSTOSO DA CASA!

- Em que cômodo da casa são preparadas as refeições?

  Recorte, de jornais, revistas ou panfletos, figuras de objetos que normalmente são utilizados na cozinha de uma casa. Cole-as no quadro acima.

AGORA É SUA VEZ!

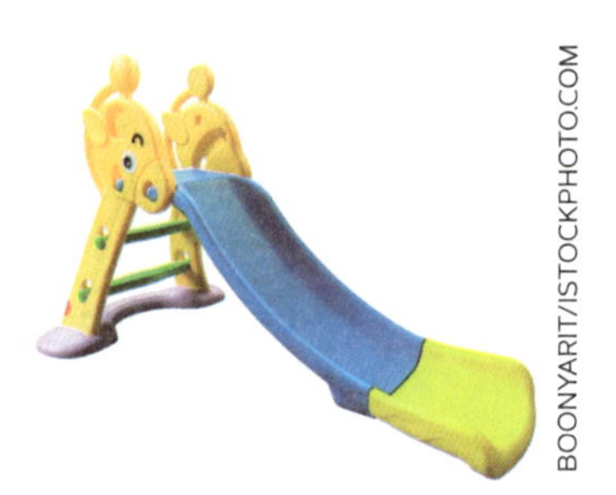
BOONYARIT/ISTOCKPHOTO.COM

QUINTAL.

TOM ABRAHAM/ ISTOCKPHOTO.COM

BANHEIRO.

BET_NOIRE/ISTOCKPHOTO.COM

COZINHA.

COOLPHOTOGIRL/ SHUTTERSTOCK.COM

LAVANDERIA.

DIMA MOROZ /SHUTTERSTOCK.COM

QUARTO.

PIX11/SHUTTERSTOCK.COM

SALA DE ESTAR.

▼ Quantos cômodos há em sua casa?

Faça risquinhos no quadro para representar essa quantidade. Depois, circule de **vermelho** o nome do cômodo onde você estuda e de **azul** o nome do cômodo onde você brinca.

UMA RUA CHEIA DE COR

SE ESSA RUA FOSSE MINHA

SE ESSA RUA FOSSE MINHA,
SERIA TODA COLORIDA.
TERIA CASA **AMARELA**,
CASA **VERMELHA**,
LILÁS, **AZUL** E **LARANJA**.
SÓ NÃO TERIA CASA **CINZA**,
PORQUE **CINZA** É A COR DA SOMBRA.
MAS TERIA CASA **VERDE**,
PORQUE O **VERDE** É A COR DA ESPERANÇA.
[...]

EDUARDO AMOS. **SE ESSA RUA FOSSE MINHA**.
SÃO PAULO: MODERNA, 2002. P. 4.

CAROLINA SARTÓRIO

Acompanhe a leitura do professor e pinte as casas de acordo com as cores indicadas no poema.

- Além de casas e outras moradias, o que mais podemos encontrar em uma rua?

ESTA É A RUA EM QUE MORO

- Como é a rua onde você mora?
- Há muitos prédios e casas?
- Há algum comércio, hospital ou escola?

Faça um desenho para representar a rua onde você mora.

ARTE QUE RETRATA A VIDA

GALERIA JACQUES ARDIES, SÃO PAULO

ANA MARIA DIAS. **MEMÓRIAS**, 2010. ACRÍLICO SOBRE TELA, 40 CM × 50 CM.

- Como é a paisagem retratada pela artista?
- Você sabe o que são meios de transporte?

  Com a ajuda do professor, identifique e circule na cena a imagem de dois meios de transporte.
- Você sabia que cavalos, burros e jumentos podem servir de meio de transporte?

SEM CASA

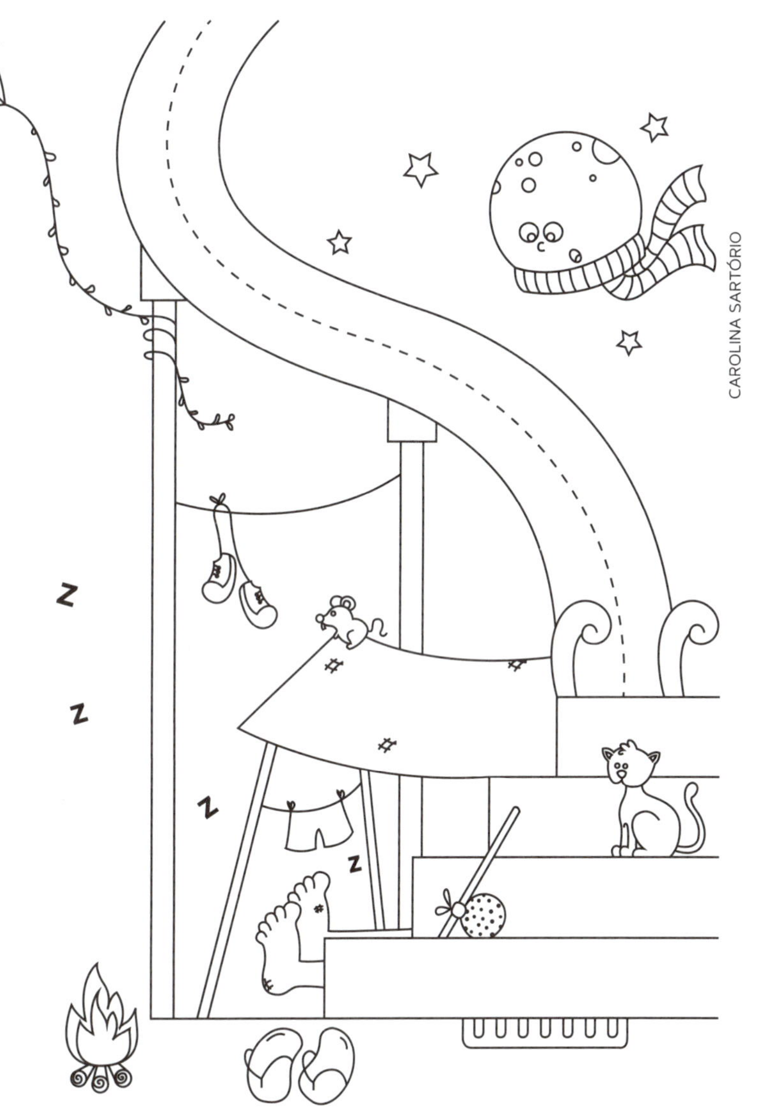

TEM GENTE QUE NÃO TEM CASA,
MORA AO LÉU, DEBAIXO DA PONTE.
NO CÉU A LUA ESPIA
ESSE MONTE DE GENTE
NA RUA
COMO SE FOSSE PAPEL.

GENTE TEM QUE TER
ONDE MORAR,
UM CANTO, UM QUARTO,
UMA CAMA,
PARA NO FIM DO DIA
GUARDAR O CORPO CANSADO,
COM CARINHO, COM CUIDADO,
QUE O CORPO É A CASA
DOS PENSAMENTOS.

ROSEANA MURRAY. **CASAS**.
SÃO PAULO: FORMATO, 2010. P. 12.

Ouça a leitura do professor e pinte a imagem que ilustra o poema.

Depois, em uma roda de conversa, reflita sobre o assunto com os colegas e o professor.

- Existem pessoas nessa situação perto de onde você mora?

UNIDADE 6

O ESPAÇO DA ESCOLA

- Você conhece esse lugar?
  É um lugar de aprender, brincar, fazer amigos, conviver e respeitar.
- Você sabe qual é o nome desse lugar?
  Pinte a ilustração com giz de cera.

DAYANE RAVEN

MINHA ESCOLA É ASSIM

☐ GRANDE. ☐ PEQUENA.

Desenhe sua escola.

Sua escola é grande ou pequena?

Marque um **X** na resposta correta.

Depois, com a ajuda do professor, escreva o nome dela da maneira que souber.

LUGAR E PAISAGEM • LUGAR E PAISAGEM •

TALENTO E ARTE • TALENTO E ARTE •

MEUS AMIGOS

A SALA DE LUCAS É BEM GRANDE. SUA MESA FICA PERTO DA PORTA. COM ELE SE SENTAM MAIS TRÊS COLEGAS: JÚLIA, DAVI E ANA. ELES FAZEM AS LIÇÕES JUNTOS E SE AJUDAM.

TEXTO ESCRITO ESPECIALMENTE PARA ESTA OBRA.

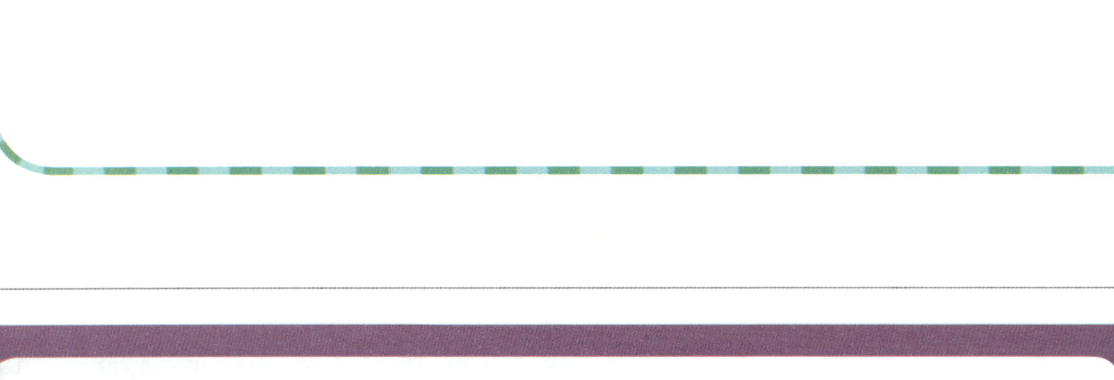

- Você tem colegas na escola?
- O que vocês costumam fazer juntos?

Ouça a leitura do professor e circule os nomes citados no texto. Depois, escolha um colega da turma e o desenhe. Escreva como souber o nome dele.

- Você e seus colegas costumam ajudar uns aos outros nas tarefas da escola?

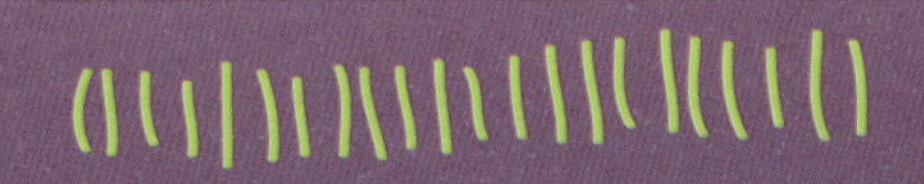

HORA DE IR PARA A ESCOLA

ILUSTRAÇÕES: RODRIGO ARRAYA

ÁREA ESCOLAR

- Como você vai para a escola?

Marque um **X** na cena que melhor representa como você se dirige à escola.

Depois, destaque a placa de sinalização da página 167 do encarte e cole-a no local indicado.

- O que significa essa placa?

ORGANIZANDO A FILA

A PROFESSORA PEDE:

– CRIANÇAS, FORMEM UMA FILA!

LUCAS E OS COLEGAS SE ORGANIZAM UM ATRÁS DO OUTRO, SEM CORRER.

TEXTO ESCRITO ESPECIALMENTE PARA ESTA OBRA.

CLAUDIA MARIANNO

DE MANHÃ.

À TARDE.

- Você costuma fazer fila na escola? Em quais situações?
- Você sabe para que servem as filas?

  Observe a imagem e conte quantas crianças estão na fila. Circule a **primeira** criança da fila e faça um **X** na **última**.
- Em que período do dia você vai à escola?

  Pinte o quadro com a resposta.

ATIVIDADES NA ESCOLA

ILUSTRAÇÕES: MARCOS MACHADO

Observe as imagens e circule as atividades que geralmente são feitas na escola.

- O que você mais gosta de fazer na escola? Conte para os colegas e o professor.

ESPAÇOS DA ESCOLA

FERNANDO FAVORETTO/CRIAR IMAGEM

SALA.

FERNANDO FAVORETTO/CRIAR IMAGEM

BIBLIOTECA.

FERNANDO FAVORETTO/CRIAR IMAGEM

QUADRA.

FERNANDO FAVORETTO/CRIAR IMAGEM

PARQUINHO.

FERNANDO FAVORETTO/CRIAR IMAGEM

REFEITÓRIO.

FERNANDO FAVORETTO/CRIAR IMAGEM

PÁTIO.

- Você conhece os espaços da escola?
- Em quais espaços você faz as atividades?

Observe as imagens e marque um **X** nos espaços que há em sua escola. Ouça a leitura do professor.

QUEM TRABALHA NA ESCOLA?

NA SALA APRENDEMOS MUITAS COISAS JUNTOS. SOU A...	ATENDO AS CRIANÇAS NA BIBLIOTECA. SOU O...
TRABALHO NA COZINHA PREPARANDO A MERENDA DAS CRIANÇAS. SOU A...	RECEBO AS CRIANÇAS NO PORTÃO DA ESCOLA. SOU O...
LIMPO AS SALAS, O PÁTIO, O CORREDOR. SOU O...	CUIDO DE TODA A ORGANIZAÇÃO DA ESCOLA. SOU A...

▼ Você sabe quem são os profissionais que trabalham em sua escola?

Destaque da página 171 do encarte as figuras que representam alguns profissionais que trabalham na escola e cole-as de acordo com as informações que o professor lerá.

A SALA

- Como é sua sala?
- Como ela está organizada?
- Em sua sala há mesas ou carteiras?

Faça um desenho para representar sua sala. Depois, apresente seu trabalho aos colegas e ao professor.

OBJETOS DA SALA

Destaque da página 151 do encarte alguns objetos que costumamos encontrar em uma sala. Depois, identifique-os e cole-os na cena para completá-la.

- Em sua sala há algum objeto que não apareceu nessa imagem?

OLHO VIVO!

HENRIQUE BRUM

Observe essa sala e circule com canetinha hidrocor os objetos pedidos:

1. de **azul** o livro que está em cima da mesa;
2. de **vermelho** a lata de lixo que está **ao lado** da porta;
3. de **roxo** a mochila que está **embaixo** da carteira.

▼ Em que parte da sala você costuma se sentar? **Perto** ou **longe** da lousa?

ESPAÇO DE CONVIVER

CONVIVENDO MELHOR

SERÁ QUE VOCÊ SABE CUMPRIMENTAR OS OUTROS, FALAR **"DÁ LICENÇA"**, **"POR FAVOR"**, **"MUITO OBRIGADO"**, **"ME DESCULPE"**, E OUTRAS PALAVRAS GENTIS QUE REVELAM DELICADEZA E EDUCAÇÃO? ESTÁ CERTO QUE DE VEZ EM QUANDO QUALQUER UM SE ESQUECE, AFINAL NINGUÉM É UM GRAVADOR. [...]

LILIANA IACOCCA E MICHELE IACOCCA. **EU & OS OUTROS**. SÃO PAULO: ÁTICA, 2002. P. 46.

MARCOS DE MELLO

- Você costuma ser gentil e cumprimentar as pessoas?

  Ouça a leitura do professor e observe a cena.

  Depois, escreva no balão de fala uma das expressões apresentadas no texto.
- No dia a dia, você costuma usar as expressões citadas no texto?

ATITUDES QUE FAZEM A DIFERENÇA!

ILUSTRAÇÕES: HENRIQUE BRUM

Circule as cenas que mostram atitudes importantes que devemos ter com todas as pessoas e em todos os lugares.

▼ Você acha importante conviver bem com as outras pessoas?

DA ESCOLA VAMOS CUIDAR!

JOGAR O LIXO NA LIXEIRA.	GUARDAR OS BRINQUEDOS DEPOIS DE BRINCAR.
NÃO DESPERDIÇAR ÁGUA.	MANTER AS MESAS E CADEIRAS ARRUMADAS.

- Como você pode ajudar a cuidar de sua escola?

  Destaque as figuras da página 157 e cole-as nos quadros para ilustrar como devemos cuidar da escola.

SER HUMANO É...

ESTUDAR PARA CONHECER E SE CONHECER.
IGUAL À ARVORE, CRESCER E FRUTIFICAR.
[...]

ARTIGO 26

TODA PESSOA TEM DIREITO À EDUCAÇÃO DE QUALIDADE, UNIVERSAL E GRATUITA. [...]

FÁBIO SGROI. **SER HUMANO É... DECLARAÇÃO UNIVERSAL DOS DIREITOS HUMANOS PARA CRIANÇAS**. SÃO PAULO: EDITORA DO BRASIL, 2018. P. 36 E 37.

CLAUDIA MARIANNO

O texto diz que as pessoas têm direitos. Pinte a imagem e descubra um deles.

- Que direito você descobriu?
- Em sua opinião, por que é importante ir à escola?
- O que você já aprendeu na escola? Conte aos colegas e ao professor.

DATAS COMEMORATIVAS

DIA DO CIRCO – 27 DE MARÇO

O DIA DO CIRCO É COMEMORADO NESSA DATA EM HOMENAGEM AO NASCIMENTO DO PALHAÇO PIOLIN.

ILUSTRAÇÕES: HENRIQUE BRUM

- Você já foi ao circo?

  Observe os profissionais que trabalham no circo. Depois, identifique e pinte somente os palhaços.

- De qual artista circense você gosta mais?

DIA DAS MÃES – SEGUNDO DOMINGO DE MAIO

NESSA DATA COMEMORAMOS UM DIA MUITO ESPECIAL: O DIA DAS MÃES. APROVEITE ESSE DIA PARA DEMONSTRAR TODO O CARINHO QUE SENTE POR SUA MÃE OU PELA PESSOA QUE CUIDA DE VOCÊ.

MAMÃEZINHA

MAMÃE, VOU LHE DIZER
MAMÃE, VOU LHE FALAR
UM SEGREDINHO BOM
DE QUE VOCÊ VAI GOSTAR.

DENTRO DO MEU PEITO
UMA COISA BATE EM MIM.
É O MEU CORAÇÃOZINHO,
QUE BATE DE AMOR SEM FIM!

QUADRINHA.

Decore o cartão, escreva seu nome na linha e recorte-o. Depois, com a ajuda do professor, memorize os versos e recite-os a sua mãe ou à pessoa que cuida de você.

- O que você mais gosta de fazer com sua mãe ou com a pessoa que cuida de você?

FESTAS JUNINAS – MÊS DE JUNHO

AS FESTAS JUNINAS SÃO MUITO TRADICIONAIS NO BRASIL. NELA OS CRISTÃOS HOMENAGEIAM SANTO ANTÔNIO, SÃO JOÃO E SÃO PEDRO.

PARA ESSAS COMEMORAÇÕES SÃO PREPARADAS COMIDAS E DANÇAS TÍPICAS, ALÉM DE ENFEITES E TRAJES CARACTERÍSTICOS.

HENRIQUE BRUM

Pinte a imagem, deixando-a bem colorida.

- Você já foi a uma festa junina?
- Você conhece uma dança típica chamada quadrilha?

DIA DO AMIGO – 20 DE JULHO

SER AMIGO É...

- Para que servem os amigos?
- Você tem muitos amigos?

Para comemorar esta data, desenhe você e seus amigos brincando do que mais gostam.

DIA DOS PAIS – SEGUNDO DOMINGO DE AGOSTO

NESSA DATA COMEMORAMOS UM DIA MUITO ESPECIAL: O DIA DOS PAIS. APROVEITE ESSE DIA PARA DEMONSTRAR TODO O CARINHO QUE SENTE POR SEU PAI OU PELA PESSOA QUE CUIDA DE VOCÊ.

Recorte de jornais e revistas imagens de coisas que seu pai gosta de fazer e cole-as dentro da moldura para montar um quadro. Depois, recorte-o e entregue-o a seu pai ou à pessoa que cuida de você.

- O que você mais gosta de fazer com seu pai ou com a pessoa que cuida de você?

DIA DA CRIANÇA – 12 DE OUTUBRO

NESSA DATA TÃO ESPECIAL, A HOMENAGEADA É VOCÊ!

VAIVÉM

MATERIAL:

- 2 GARRAFAS PET;
- FITAS ADESIVAS COLORIDAS;
- 4 ROLINHOS DE PAPEL HIGIÊNICO (VAZIOS);
- 2 BARBANTES COLORIDOS COM 2 METROS CADA.

MODO DE FAZER

1. RECORTE A PARTE DE CIMA DAS GARRAFAS PET, FORMANDO TAÇAS.
2. ENCAIXE AS DUAS TAÇAS, UMA DE FRENTE PARA A OUTRA, E FIXE-AS COM FITA ADESIVA COLORIDA.

IMAGENS: DOTTA

▼ Que tal confeccionar um vaivém utilizando material reciclável?

Com a ajuda do professor, siga o passo a passo e monte o brinquedo.

3. AMARRE A PONTA DE UM DOS BARBANTES EM UM DOS ROLINHOS DE PAPEL HIGIÊNICO, PASSE A OUTRA PONTA DO MESMO BARBANTE POR DENTRO DO BRINQUEDO E AMARRE-A A OUTRO ROLINHO. FAÇA ISSO COM O OUTRO PAR DE ROLINHOS TAMBÉM.

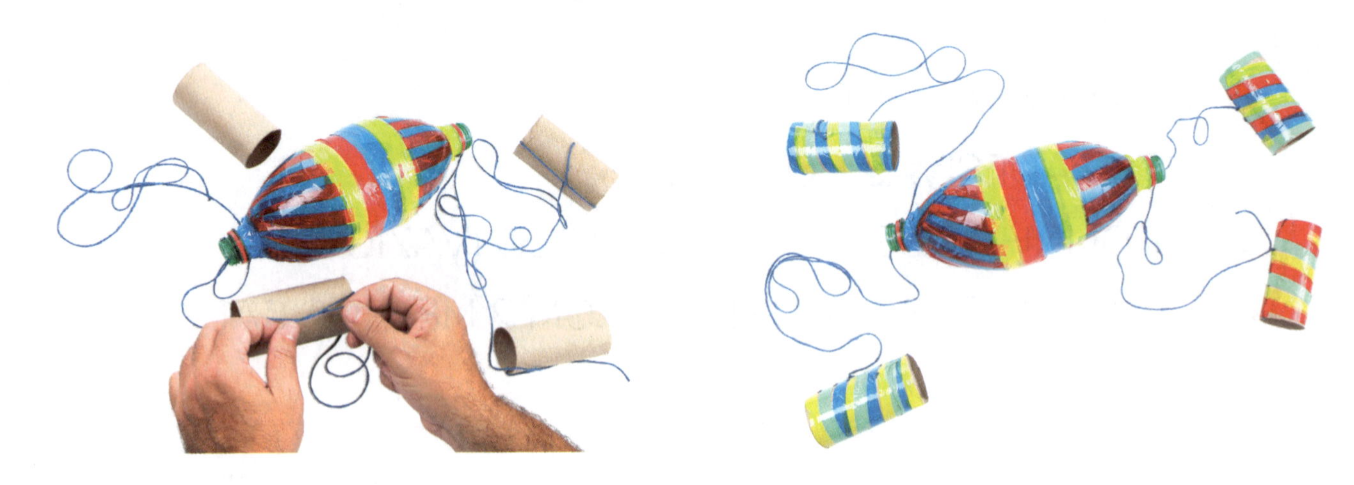

4. O BRINQUEDO ESTÁ PRONTO!

AGORA É SÓ BRINCAR E COMEMORAR O DIA DA CRIANÇA COM OS COLEGAS!

IMAGENS: DOTTA

▼ Como você costuma comemorar o Dia da Criança?

Conte para os colegas e o professor o que você mais gosta de fazer nesse dia.

DIA DO PROFESSOR – 15 DE OUTUBRO

O PROFESSOR É UMA PESSOA ESPECIAL EM NOSSA VIDA. ELE ACOMPANHA NOSSOS ESTUDOS COM MUITA PACIÊNCIA E DEDICAÇÃO.

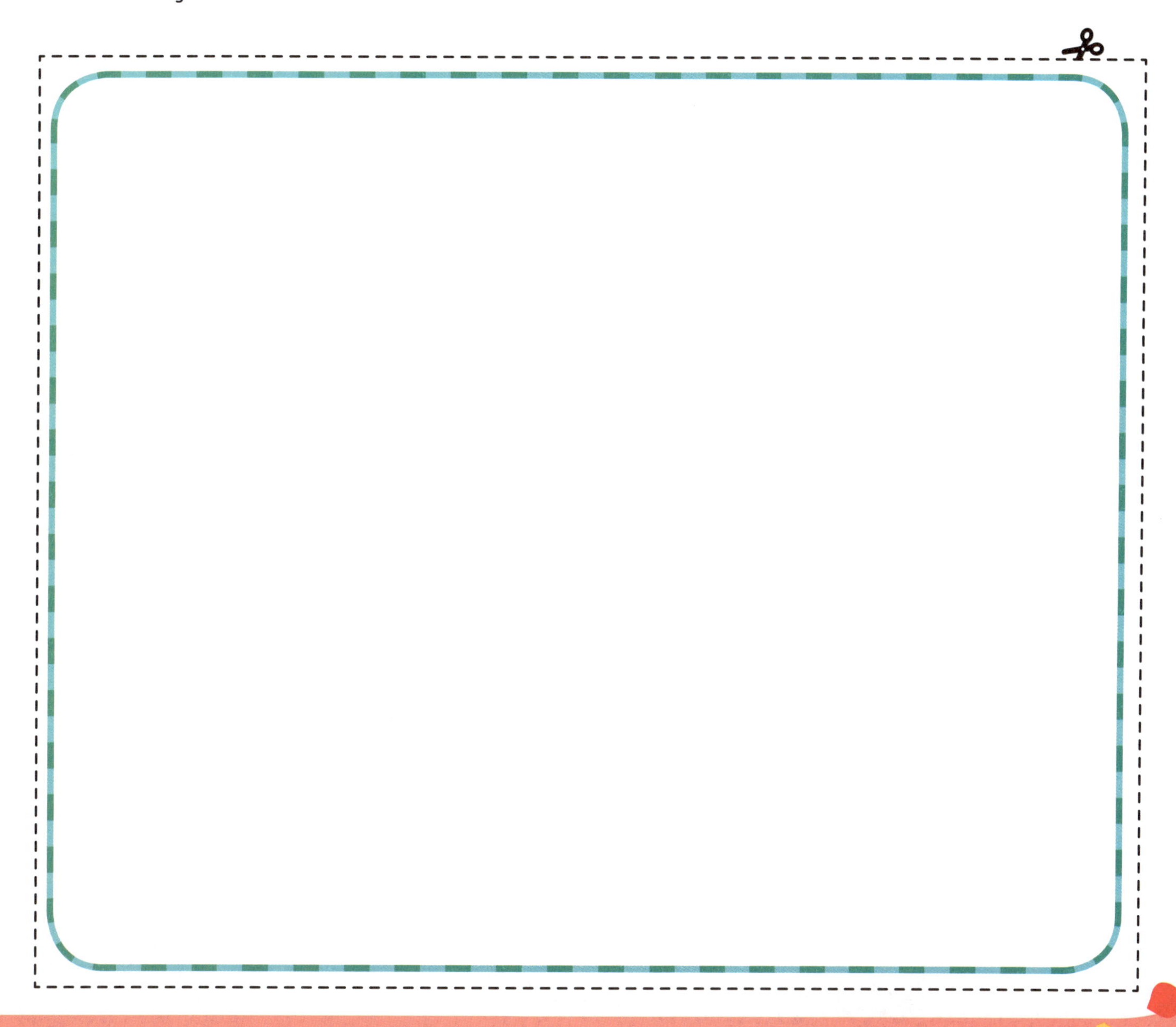

- Você gosta de aprender coisas novas com o professor?
- O que você já aprendeu com a ajuda dele?

Faça uma homenagem ao professor desenhando-o no quadro acima. Para decorar, use cola colorida, *glitter*, lantejoulas etc. Depois, recorte-o na linha tracejada e presenteie o professor.

NATAL – 25 DE DEZEMBRO

NESSA DATA, OS CRISTÃOS CELEBRAM O NASCIMENTO DE JESUS CRISTO. É UMA DAS FESTAS MAIS COMEMORADAS NO MUNDO TODO.

Pinte o cartão e, com a ajuda do professor, escreva nas linhas uma bonita mensagem. Depois, recorte-o e entregue-o a um colega, desejando-lhe Feliz Natal.

- Você gosta do Natal?
- Você e sua família costumam comemorar o Natal?

ENCONTRE O ANIMAL

Observe a imagem e pinte os espaços em que aparecem pontinhos.

- Você já conhecia esse animal?

O COLORIDO DAS FLORES

- Você gosta de flores?
- Qual é a sua flor predileta?

Com diferentes materiais, represente a flor de que você mais gosta. Você pode desenhar, fazer dobraduras e colagens.

Depois, escreva como souber o nome da flor que você representou.

CUIDANDO DA ÁGUA

Observe o cartaz e peça a um adulto que leia a mensagem para você.

- Sobre o que é o cartaz?
- Em sua casa, vocês utilizam a água com responsabilidade?

Pinte e enfeite o cartaz da maneira que desejar.

SÍMBOLOS NAS EMBALAGENS

ESTES SÃO ALGUNS SÍMBOLOS DE RECICLAGEM.

RODRIGO ARRAYA

Observe os símbolos e, depois, procure-os em rótulos e embalagens de produtos utilizados em sua casa. Em seguida, cole o rótulo ou parte da embalagem acima.

- Você e sua família costumam fazer a coleta seletiva do lixo que produzem?

ESTE É O COMEÇO DE MINHA HISTÓRIA

SUA HISTÓRIA DE VIDA É PARTE DA HISTÓRIA DO MUNDO.

PAULA KRANZ

MEU NOME É ______________________________,

NASCI NO DIA ________________,

NO MÊS DE ______________________________,

NO ANO DE ________________, ÀS ____________ HORAS,

NA CIDADE DE ______________________________.

AO NASCER EU PESAVA ________________.

AO NASCER EU MEDIA ________________.

Converse com um familiar e peça-lhe que preencha a ficha com os dados de seu nascimento.

Depois, proponha a ele que conte a você outras coisas sobre esse importante acontecimento.

- Quando você nasceu fazia frio ou calor?
- Você nasceu durante o dia ou durante a noite?

MINHA ROTINA NA ESCOLA

- Quais atividades você faz na escola? Como é sua rotina?
- O que você mais gosta de fazer quando está na escola?

Faça um desenho que represente um momento seu na escola. Depois, apresente seu trabalho aos colegas e ao professor.

TAREFA PARA CASA 7

LUIZ LENTINI

REPÓRTER POR UM DIA

NOME DA PESSOA ENTREVISTADA: ______

ESSA PESSOA É SEU/SUA: ______

NOME DA BRINCADEIRA PREFERIDA: ______

BRINQUEDO PREFERIDO: ______

IMAGEM DO BRINQUEDO:

Converse com um familiar sobre as brincadeiras e os brinquedos da infância dele. Depois, peça-lhe que preencha a ficha com as informações solicitadas.

Por fim, desenhe ou cole no quadro uma imagem do brinquedo preferido dele.

▼ Você já conhecia esse brinquedo?

VESTINDO AS CRIANÇAS

▼ Como está o tempo hoje? Faz calor ou frio?

Observe como está o tempo na região em que você mora e desenhe uma roupa adequada para cada criança.

Use canetinha hidrocor.

CURIOSAS CASAS

Com a ajuda de um adulto, pesquise em livros ou na internet casas de animais. Depois, desenhe a casa de que você mais gostou e o animal que mora nela.

- Que animal você desenhou? De que é feita a casa dele?

TAREFA PARA CASA 10

DIFERENTES LUGARES PARA VIVER

GALERIA JACQUES ARDIES, SÃO PAULO

C. SIDOTI.
SAMPA, 2014.
ÓLEO SOBRE TELA,
90 CM × 140 CM.

GALERIA JACQUES ARDIES, SÃO PAULO

ANA MARIA DIAS.
FÉRIAS FELIZES,
2014. ACRÍLICO SOBRE
TELA, 50 CM × 80 CM.

Observe e compare as obras de arte.

- Que diferenças você percebe entre as paisagens representadas?
- Em sua opinião, em qual dos lugares moram mais pessoas?
- Em qual deles a natureza está mais preservada?

Circule a tela que retrata o lugar mais parecido com a região onde você mora.

PLACAS DE SINALIZAÇÃO

NAS RUAS EXISTEM PLACAS DE SINALIZAÇÃO QUE SERVEM PARA ORIENTAR MOTORISTAS E PEDESTRES.

Observe as placas que você encontra no caminho que faz da escola para casa. Depois, represente com um desenho uma ou mais delas.

- Você sabe o significado dessas placas de sinalização?

Peça a um adulto que explique a você o que elas representam e a importância de serem respeitadas.

TAREFA PARA CASA 12

PROFISSÕES

ILUSTRAÇÕES: ALEXANDRE MATOS

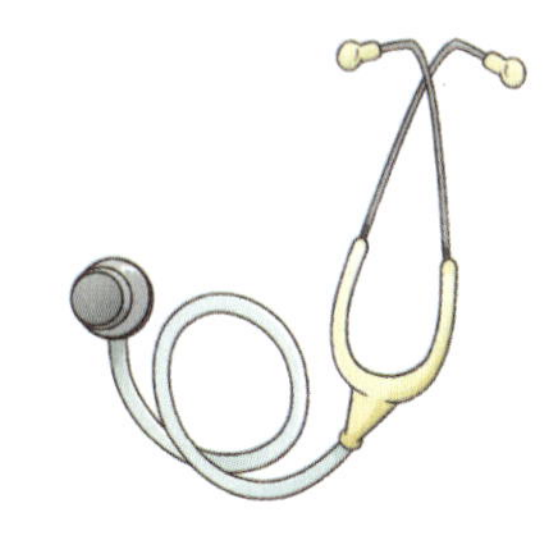

- O que você quer ser quando crescer?

  Observe os profissionais e identifique-os. Depois, ligue-os aos instrumentos que geralmente utilizam no trabalho.

- Qual é a profissão de seus pais ou das pessoas que cuidam de você?

ENCARTES DE ADESIVO

PÁGINA 19

ILUSTRAÇÕES: HENRIQUE BRUM

PÁGINA 65

JCDH/SHUTTERSTOCK.COM

NEW AFRICA/SHUTTERSTOCK.COM

LEN MAREN/SHUTTERSTOCK.COM

ANDREY_CHUZHINOV/SHUTTERSTOCK.COM

PÁGINA 25

ILUSTRAÇÕES: PAULA KRANZ

PÁGINA 30

ILUSTRAÇÕES: ALEXANDRE MATOS

PÁGINA 30

ILUSTRAÇÕES: ALEXANDRE MATOS

PÁGINA 35

TIVERYLUCKY/SHUTTERSTOCK.COM

JUANMONINO/ISTOCKPHOTO.COM

FOTOEMBER/ISTOCKPHOTO.COM

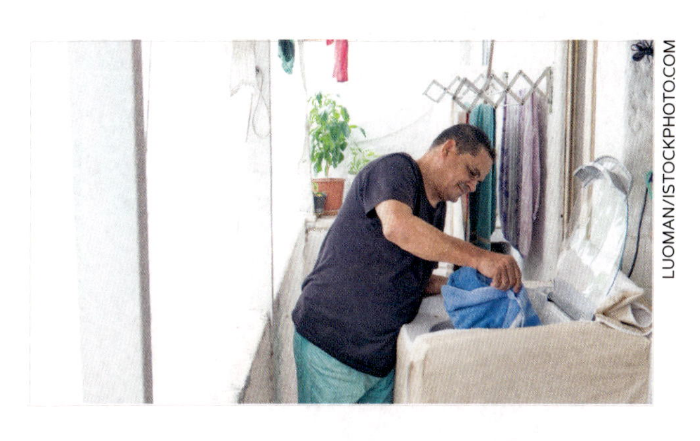

LUOMAN/ISTOCKPHOTO.COM

ERMOLAEV ALEXANDER/SHUTTERSTOCK.COM

BRASIL2/ISTOCKPHOTO.COM

PÁGINA 39

DUDAREV MIKHAIL/SHUTTERSTOCK.COM

MICHAEL BURRELL/ISTOCKPHOTO.COM

PAVEL KRATIROV/ISTOCKPHOTO.COM

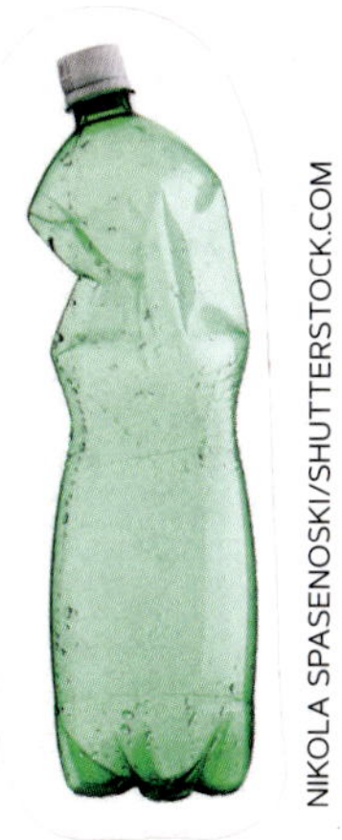

NIKOLA SPASENOSKI/SHUTTERSTOCK.COM

PÁGINA 102

ILUSTRAÇÕES: MARCOS DE MELLO

PÁGINA 47

ILUSTRAÇÕES: ALEXANDRE MATOS

PÁGINA 53

ILUSTRAÇÕES: MARCOS DE MELLO

PÁGINA 24

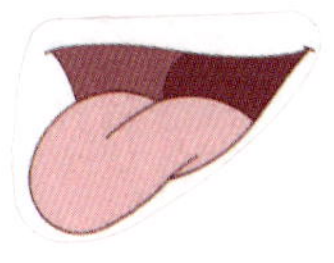

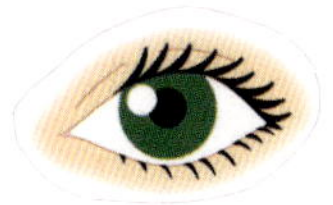

ILUSTRAÇÕES: HENRIQUE BRUM

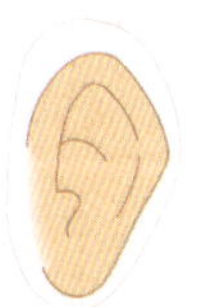

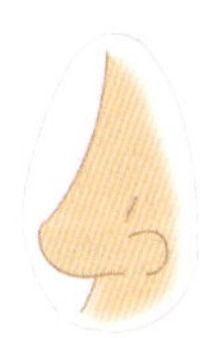

PÁGINA 106

ILUSTRAÇÕES: CLAUDIA MARIANNO

PÁGINA 82

ENCARTES DE PICOTE

PÁGINA 8

ARUBA48/ISTOCKPHOTO.COM

PÁGINA 38

DOUGLAS OLIVARES/SHUTTERSTOCK.COM

ANTON GVOZDIKOV/SHUTTERSTOCK.COM

WOO BING SIEW/ DREAMSTIME.COM

LAURACAPANEMA/ISTOCKPHOTO.COM

TACIOPHILIP/ISTOCKPHOTO.COM

KELLY HEADRICK/SHUTTERSTOCK.COM

FOTOKOSTIC/ISTOCKPHOTO.COM

SARAYUT JUNNGAM/SHUTTERSTOCK.COM

ANDREW PEACOCK/ISTOCKPHOTO.COM

FG TRADE/ISTOCKPHOTO.COM

PAVLO VAKHRUSHEV/ISTOCKPHOTO.COM

ANDAMANSE/DREAMSTIME.COM

VLAD61/SHUTTERSTOCK.COM

WIRATCHAI WANSAMNGAM/SHUTTERSTOCK.COM

LEDYX/SHUTTERSTOCK.COM

YIMING LI/ISTOCKPHOTO.COM

PÁGINA 38

DOUGLAS OLIVARES/SHUTTERSTOCK.COM

ANTON GVOZDIKOV/SHUTTERSTOCK.COM

WOO BING SIEW/ DREAMSTIME.COM

LAURACAPANEMA/ISTOCKPHOTO.COM

TACIOPHILIP/ISTOCKPHOTO.COM

KELLY HEADRICK/SHUTTERSTOCK.COM

FOTOKOSTIC/ISTOCKPHOTO.COM

SARAYUT JUNNGAM/SHUTTERSTOCK.COM

ANDREW PEACOCK/ISTOCKPHOTO.COM

FG TRADE/ISTOCKPHOTO.COM

PAVLO VAKHRUSHEV/ISTOCKPHOTO.COM

ANDAMANSE/DREAMSTIME.COM

VLAD61/SHUTTERSTOCK.COM

WIRATCHAI WANSAMNGAM/SHUTTERSTOCK.COM

LEDYX/SHUTTERSTOCK.COM

YIMING LI/ISTOCKPHOTO.COM

PÁGINA 44

ODUA IMAGES/SHUTTERSTOCK.COM
ODUA IMAGES/SHUTTERSTOCK.COM

PÁGINA 96

DAE

PÁGINA 72

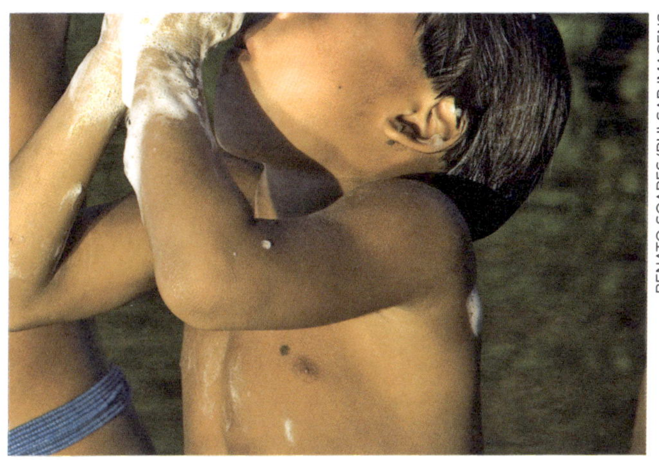

RENATO SOARES/PULSAR IMAGENS

PÁGINA 100

ILUSTRAÇÕES: HENRIQUE BRUM

EM FAMÍLIA

1

EDUCAÇÃO INFANTIL

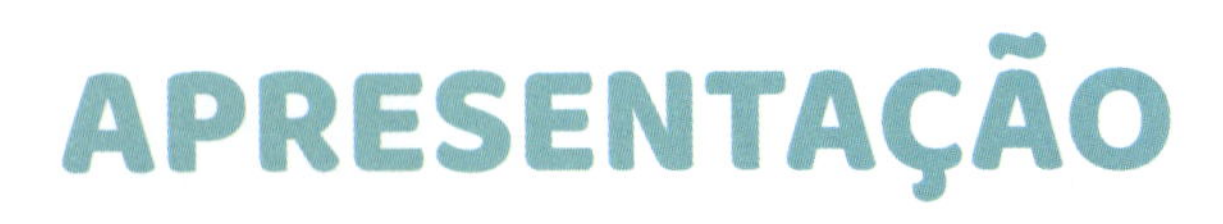

APRESENTAÇÃO

É preciso uma aldeia para
se educar uma criança.

Provérbio africano.

A educação de uma criança é um processo que envolve a família, a escola e toda a sociedade. Trata-se de uma responsabilidade compartilhada por todos nós.

Sabemos que na primeira infância, período que vai do nascimento até os 6 anos de idade, é construído o alicerce para a vida adulta.

Aos pais e demais cuidadores da criança, impõe-se a difícil tarefa de fazer escolhas ao longo desse processo de desenvolvimento, as quais precisam estar permeadas de responsabilidade, amor, criatividade e uma pitada de bom humor.

Buscando fortalecer a parceria entre escola e família, a Coleção Mitanga oferece o *Mitanga em família*, um caderno lúdico e, ao mesmo tempo, informativo, que busca disponibilizar aos pais e demais familiares uma aproximação de temas interessantes e atuais que estão ligados à primeira infância.

Além de textos e atividades para desenvolver com a criança, o material contém sugestões de livros, documentários, filmes e músicas. Também estão reservados, para cada tema abordado, espaços para escrever relatos, colar fotos, desenhar e pintar.

Este material é, portanto, uma obra inacabada e um convite para que os responsáveis pela criança interajam com o assunto e ajudem a construir uma agradável lembrança desta fase tão importante da vida humana.

Acompanhar o processo de desenvolvimento de uma criança é uma tarefa muito empolgante para todos que estão a seu redor. Cada criança é um ser humano único, com sua forma particular de ser e de compreender o mundo social em que vive. Esperamos que as informações e sugestões apresentadas nesta publicação sejam um instrumento de reflexão que contribua para o fortalecimento do vínculo entre pais e filhos, enriquecendo o trabalho desenvolvido no ambiente escolar.

SUMÁRIO

1 BASE NACIONAL COMUM CURRICULAR

Afinal, o que é a BNCC?

É um documento que define as aprendizagens essenciais que todos os alunos devem desenvolver ao longo das etapas e modalidades da Educação Básica, de modo que tenham assegurados seus direitos de aprendizagem e desenvolvimento, em conformidade com o que preceitua o Plano Nacional de Educação (PNE). Com a homologação desse documento, o Brasil inicia uma nova era na educação e se alinha aos melhores e mais qualificados sistemas educacionais do mundo.

sattva78/Shutterstock.com

A BNCC foca no desenvolvimento de **competências**, por meio da indicação clara do que os alunos devem "saber" e, sobretudo, do que devem "saber fazer" para resolver as demandas complexas da vida cotidiana, do pleno exercício da cidadania e do mundo do trabalho. Além disso, explicita seu compromisso com a **educação integral**, que visa construir processos educativos que promovam aprendizagens alinhadas às necessidades, possibilidades e interesses dos estudantes, bem como aos desafios da sociedade atual.

> No novo cenário mundial, reconhecer-se em seu contexto histórico e cultural, comunicar-se, ser criativo, analítico-crítico, participativo, aberto ao novo, colaborativo, resiliente, produtivo e responsável requer muito mais do que o acúmulo de informações. Requer o desenvolvimento de competências para **aprender a aprender**, saber lidar com a informação cada vez mais disponível, atuar com discernimento e responsabilidade nos contextos das culturas digitais, aplicar conhecimentos para resolver problemas, ter autonomia para tomar decisões, ser proativo para identificar os dados de uma situação e buscar soluções, conviver e aprender com as diferenças e as diversidades.
>
> BRASIL. Ministério da Educação. Secretaria da Educação. *Base Nacional Comum Curricular*. Brasília: Ministério da Educação, 2018. p. 14.

Quais são os 6 direitos de aprendizagem e desenvolvimento?

EDUCAÇÃO INFANTIL

Conviver | **Brincar** | **Participar** | **Explorar** | **Expressar** | **Conhecer-se**

PRINCIPAIS APRENDIZAGENS PARA A EDUCAÇÃO INFANTIL

Campo: O eu, o outro e o nós

- Respeitar e expressar sentimentos e emoções.
- Atuar em grupo e demonstrar interesse em construir novas relações, respeitando a diversidade e solidarizando-se com os outros.
- Conhecer e respeitar regras de convívio social, manifestando respeito pelo outro.

Campo: Corpo, gestos e movimentos

- Reconhecer a importância de ações e situações do cotidiano que contribuem para o cuidado de sua saúde e a manutenção de ambientes saudáveis.
- Apresentar autonomia nas práticas de higiene, alimentação, vestir-se e no cuidado com seu bem-estar, valorizando o próprio corpo.
- Utilizar o corpo intencionalmente (com criatividade, controle e adequação) como instrumento de interação com o outro e com o meio.
- Coordenar suas habilidades manuais.

Campo: Traços, sons, cores e formas

- Discriminar os diferentes tipos de sons e ritmos e interagir com a música, percebendo-a como forma de expressão individual e coletiva.
- Expressar-se por meio das artes visuais, utilizando diferentes materiais.
- Relacionar-se com o outro empregando gestos, palavras, brincadeiras, jogos, imitações, observações e expressão corporal.

Campo: Espaços, tempos, quantidades, relações e transformações

- Identificar, nomear adequadamente e comparar as propriedades dos objetos, estabelecendo relações entre eles.
- Interagir com o meio ambiente e com fenômenos naturais ou artificiais, demonstrando curiosidade e cuidado com relação a eles.
- Utilizar vocabulário relativo às noções de grandeza (maior, menor, igual etc.), espaço (dentro e fora) e medidas (comprido, curto, grosso, fino) como meio de comunicação de suas experiências.
- Utilizar unidades de medida (dia e noite; dias, semanas, meses e ano) e noções de tempo (presente, passado e futuro; antes, agora e depois) para responder a necessidades e questões do cotidiano.
- Identificar e registrar quantidades por meio de diferentes formas de representação (contagens, desenhos, símbolos, escrita de números, organização de gráficos básicos etc.).

Campo: Escuta, fala, pensamento e imaginação

- Expressar ideias, desejos e sentimentos em distintas situações de interação, por diferentes meios.
- Argumentar e relatar fatos oralmente, em sequência temporal e causal, organizando e adequando sua fala ao contexto em que é produzida.
- Ouvir, compreender, contar, recontar e criar narrativas.
- Conhecer diferentes gêneros e portadores textuais, demonstrando compreensão da função social da escrita e reconhecendo a leitura como fonte de prazer e informação.

BRASIL. Ministério da Educação. Secretaria da Educação. *Base Nacional Comum Curricular*. Brasília: Ministério da Educação, 2018. p. 52-53.

2 O DESENVOLVIMENTO DA CRIANÇA

> A infância não é um tempo,
> não é uma idade,
> uma coleção de memórias.
> A infância é quando ainda
> não é demasiado tarde.
>
> (Mia Couto, 2009).

A partir de 3 anos, a criança começa a formar parte de sua identidade pessoal, deixa de chamar a si mesma pelo nome e passa a utilizar o pronome "eu".

O mundo interno dela está repleto de fantasia e imaginação, a criança passa a enxergar o mundo como desejaria que ele fosse.

Nesta fase, ela começa a ficar mais independente e sociável, é capaz de conversar com um adulto e responder a perguntas simples. É nesta fase também que a criança anseia por novos desafios, já se desloca sem auxílio de um adulto, experimenta ações de comer sozinha, vestir-se e até ajudar em algumas pequenas tarefas de casa.

A curiosidade está muito aflorada e a criança quer explorar o mundo a sua volta. Tudo é espantoso: uma minhoca, um ninho de passarinho, uma flor desabrochando, o zunir das cigarras, o arco-íris, a Lua. É importante que os pais não "amansem" a curiosidade natural das crianças, mas mantenham essa chama sempre acesa, encorajando-as a novas descobertas.

Outro marco desta fase é a aquisição de memória. Por volta dos 3, 4 anos de idade, as áreas responsáveis pela memória amadurecem e começam a ocorrer lembranças.

Para assistir

Alike, de Daniel Martínez Lara e Rafa Cano Méndez (8 min).

Com uma mensagem positiva, o curta-metragem nos lembra da importância da imaginação como caminho para fazer do mundo um lugar mais colorido e feliz. Disponível em: https://vimeo.com/194276412. Acesso em: 11 dez. 2019.

Alike, de Daniel Martínez Lara e Rafa Cano Méndez

Crianças de 3 a 4 anos

Desenvolvimento esperado

- Aperfeiçoar a linguagem oral.
- Referir-se a si mesmo como "eu".
- Socializar com outras crianças.
- Expressar sua criatividade.
- Compreender comandos simples.
- Manifestar curiosidade.
- Gostar de desenhar.
- Brincar de faz de conta.
- Controlar os esfíncteres (sobretudo durante o dia).

Possibilidades de estímulos

- Encoraje a autonomia e o poder de escolha no dia a dia da criança.
- Estabeleça pequenas tarefas, como guardar os brinquedos, regar as plantas e ajudar a colocar a mesa antes das refeições.
- Ofereça brinquedos que estimulem o movimento, como a bola.
- Faça um cantinho para os livros infantis que seja de fácil acesso para a criança.
- Entregue materiais para atividades manuais e artísticas, como massa de modelar, giz de cera e tinta.
- Frequente os parquinhos da cidade.
- Permita o brincar livre, principalmente, na natureza.

ESB Professional/Shutterstock.com

Prevenção de acidentes

Crianças de 3 a 7 anos

Bigbubblebee99/Shutterstock.com

Nesta fase a criança escapa ao estreito controle familiar, seu mundo começa a se ampliar. Tem uma percepção egocêntrica e irreal do seu ambiente, não sendo ainda capaz de aprender noções de segurança. Possui muita energia, curiosidade, movimentação rápida e pequena capacidade de previsão de riscos. O pensamento mágico que acompanha esta faixa etária faz a criança achar que pode cair sem se ferir, como nos desenhos animados.

Nesta idade, tem importância os atropelamentos e colisões (acidentes de trânsito), afogamentos (piscinas, tanques, rios, mar e lagos), queimaduras (além das citadas, aquelas com fogos de artifício, fósforos e fogueiras), choques elétricos (aparelhos elétricos, tomadas, fios desencapados), picadas venenosas (aranhas, escorpiões, insetos), mordeduras (animais domésticos), ferimentos (objetos cortantes, armas), traumas (quedas) e intoxicações.

WAKSMAN, Renata Dejtiar; GIKAS, Regina Maria Catucci. Acidentes segundo o desenvolvimento da criança. *Sociedade de Pediatria de São Paulo*, São Paulo, 16 ago. 2017. Disponível em: www.spsp.org.br/2007/08/17/acidentes-segundo-o-desenvolvimento-da-crianca/. Acesso em: 17 fev. 2020.

Para ler

PubliFolha

Crianças e adolescentes seguros – Guia completo para prevenção de acidentes e violências, de Renata D. Waksman, Regina M. C. Gikas e Wilson Maciel (coord.) (PubliFolha, 2005).

O livro aborda o tema segurança de maneira ampla, muito além de acidentes domésticos e primeiros socorros.

Para conhecer

Criança Segura Brasil é uma organização não governamental, sem fins lucrativos, de atuação nacional. Sua missão é promover a prevenção de acidentes de crianças e adolescentes até 14 anos de idade. Disponível em: https://criancasegura.org.br/. Acesso em: 21 fev. 2020.

Instituição Criança Segura

PROPOSTAS DE ATIVIDADES

Comecei o ano assim...

Cole abaixo uma fotografia atual de seu filho.

Shutterstock/pixeldreams.eu

O que já sei fazer sozinho?

Escreva abaixo algumas conquistas recentes de seu filho.

3 A IMPORTÂNCIA DO BRINCAR

Brincar é uma necessidade para o desenvolvimento pleno da criança, um direito já previsto em lei e tão importante quanto dormir, se alimentar e outros direitos da criança.

O brincar contribui diretamente com a aprendizagem e o desenvolvimento das crianças e constitui uma oportunidade educativa que vai muito além dos conteúdos curriculares tradicionais.

Nos momentos lúdicos, a criança exterioriza sentimentos, angústias, medos e necessidades. Como ela reage diante de um desafio ou como se sente são alguns dos aspectos que, na maioria das vezes, não são verbalizados e é possível perceber durante o brincar.

É importante que os cuidadores da criança proporcionem momentos nos quais ela possa brincar livremente. Esse brincar não significa que ela tenha de estar sozinha, ela pode interagir com crianças ou adultos, mas quem escolhe, decide e cria a brincadeira é a própria criança, os outros participam seguindo as orientações, explorando o mundo que ela criou.

Outra sugestão é evitar associar o brincar à aquisição de brinquedos. Procure mostrar que brincar de faz de conta ou com objetos simples, do dia a dia da família, pode ser muito divertido e estimulante.

Para se inspirar

Território do Brincar é um trabalho de pesquisa, documentação e sensibilização sobre a cultura da infância brasileira. Disponível em: www.territoriodobrincar.com.br/ e www.youtube.com/channel/UCCJByYzJ3TpL7ty2ydjBxVw. Acessos em: 21 fev. 2020.

Território do Brincar

Pavel Kobysh/Shutterstock.com

Dez direitos naturais das crianças

Evgeny Atamanenko/Shutterstock.com

Convidaram-me a participar de um congresso sobre educação, na Itália. Fui. Esperava que fosse igual aos muitos congressos de que já participei: conferencistas famosos, pedagogos, filósofos, professores, educadores, políticos, todos explicando teorias sobre a educação. (...) Mas uma surpresa me aguardava: o congresso estava cheio de crianças. (...)

No congresso distribuíram uma página com os Dez Direito Naturais das Crianças que quero compartilhar com vocês:

1. Direito ao ócio: Toda criança tem o direito de viver momentos de tempo não programado pelos adultos.

2. Direito a sujar-se: Toda criança tem o direito de brincar com a terra, a areia, a água, a lama, as pedras.

3. Direito aos sentidos: Toda criança tem o direito de sentir os gostos e os perfumes oferecidos pela natureza.

4. Direito ao diálogo: Toda criança tem o direito de falar sem ser interrompida, de ser levada a sério nas suas ideias, de ter explicações para suas dúvidas e de escutar uma fala mansa, sem gritos.

5. Direito ao uso das mãos: Toda criança tem o direito de pregar pregos, de cortar e raspar madeira, de lixar, colar, modelar o barro, amarrar barbantes e cordas, de acender o fogo.

6. Direito a um bom início: Toda criança tem o direito de comer alimentos sãos desde o nascimento, de beber água limpa e respirar ar puro.

7. Direito à rua: Toda criança tem o direito de brincar na rua e na praça e de andar livremente pelos caminhos, sem medo de ser atropelada por motoristas que pensam que as vias lhes pertencem.

8. Direito à natureza selvagem: Toda criança tem o direito de construir uma cabana nos bosques, de ter um arbusto onde se esconder e árvores nas quais subir.

9. Direito ao silêncio: Toda criança tem o direito de escutar o rumor do vento, o canto dos pássaros, o murmúrio das águas.

10. Direito à poesia: Toda criança tem o direito de ver o sol nascer e se pôr e de ver as estrelas e a lua.

E aí eu pedi às crianças licença pra acrescentar o décimo primeiro direito:

11. Todo adulto tem direito de ser criança...

ALVES, Rubem. O melhor de tudo são as crianças. *In: Conversas sobre educação*. 12. ed. Campinas: Verus, 2015. p. 29, 32-33.

PROPOSTAS DE ATIVIDADES

Balangandã

Sugerimos a construção de um brinquedo muito divertido que explora diferentes sentidos e habilidades das crianças, o balangandã.

Material:

- papel crepom de diferentes cores (pode ser substituído por papel de seda ou fitas de cetim);
- tesoura;
- jornal;
- fita adesiva;
- barbante.

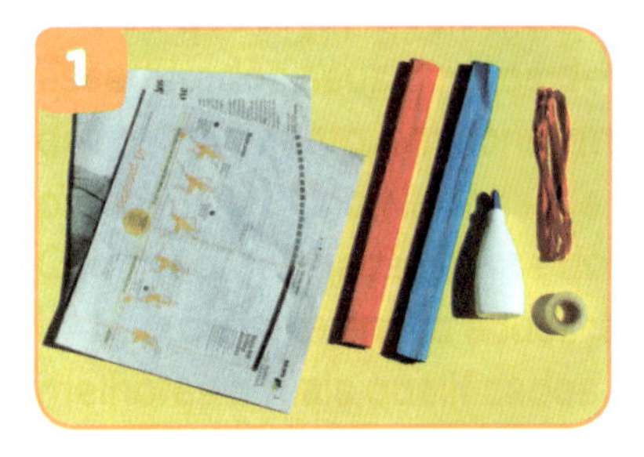

Beto Celli

Como fazer

1. Comece enrolando (imagem 2) e dobrando (imagem 3) uma folha de jornal.
2. Corte tiras de papel crepom com aproximadamente 1,3 m de comprimento e 2 cm de largura. Depois, cole-as no jornal dobrado (imagem 4).
3. Faça um rolinho com a tira de jornal (imagem 5).
4. Aperte bem o rolinho e fixe-o com algumas camadas de fita adesiva, de modo que essa extremidade fique bem firme (imagem 6).
5. Amarre o barbante no rolinho de jornal para que você possa segurar o brinquedo (imagem 7).
6. Veja como ficará o balangandã depois de pronto (imagem 8).
7. Experimente girá-lo, jogá-lo para o alto, fazer "cobrinha" etc. (imagem 9).

O balangandã tem origem africana e em seu formato tradicional era usado como amuleto. Composto por vários cordões e elementos pendentes, o balangandã recebeu esse nome pelo som que faz ao ser movimentado. Com base nesse item cultural, surgiu o brinquedo de mesmo nome, em que se prendem várias fitas a um ponto central mais pesado. Ao girá-lo, por meio de uma corda, o efeito visual atrai e diverte. É possível usá-lo em danças, expressões corporais, atividades físicas etc. [...]

SÉRIE do fazer manual: brincando e criando. *In:* REVOLUÇÃO ARTESANAL, São Paulo, [200-]. Disponível em: www.revolucaoartesanal.com.br/serie-do-fazer-manual-brincando-e-criando/. Acesso em: 22 jan. 2020.

Sobre a construção do brinquedo

Como foi a construção do balangandã com seu filho? E a brincadeira? Escreva aqui seus comentários.

Cole aqui uma foto de vocês brincando com o balangandã.

4 BRINCADEIRAS PARA DIAS DE CHUVA

É preciso muita criatividade para garantir a diversão dos pequenos quando o Sol insiste em não aparecer. Veja a seguir algumas sugestões que vão tornar os dias chuvosos inesquecíveis em sua casa!

A3pfamily/Shutterstock.com

Cabaninha

Almofadas, lençóis, prendedores e muita criatividade é tudo o que você precisa para sua sala se transformar em um mundo de faz de conta! Convide toda a família para ajudar a montar as cabaninhas e aproveite para trabalhar o senso de equipe e a improvisação.

Depois que tudo estiver montado, que tal preparar um lanchinho bem gostoso e comerem todos juntos dentro da cabaninha? Certamente será muito divertido!

Estimule a criatividade de seu filho sugerindo que invente uma história com personagens que moram em cabanas. Ele pode imaginar tudo o que acontece em uma floresta, por exemplo.

Outra sugestão é deixar o ambiente bem escurinho e brincarem com uma lanterna.

Africa Studio/Shutterstock.com

> As casinhas habitadas e construídas por crianças são como ninhos. Um refúgio que dá a possibilidade de entocar-se, esconder-se, fechar-se sobre si mesmo, nessa intimidade assegurada e protegida pelos contornos do pequeno lar.
>
> MEIRELLES, Renata. *Giramundo e outros brinquedos e brincadeiras dos meninos do Brasil*. São Paulo: Terceiro Nome, 2007. p. 140.

Massinha caseira aromática

Massinha de modelar é quase unanimidade entre crianças de 3 e 4 anos. E quando a produção da massinha as envolve, desde a mistura das matérias-primas até o produto final, a brincadeira fica ainda mais interessante! Então, separe os ingredientes e mãos à obra!

Material:

- 2 xícaras (chá) de farinha de trigo;
- 4 colheres (chá) de sal;
- 8 colheres (sopa) de água;
- 8 colheres (chá) de óleo vegetal;
- 6 a 10 gotas de óleo essencial de lavanda;
- corante alimentício de diferentes cores.

Vorobyeva/Shutterstock.com

Como fazer

1. Em uma bacia, despeje a farinha de trigo, a água e o sal e misture bem esses ingredientes.
2. Depois, coloque o óleo vegetal e amasse tudo com as mãos.
3. Coloque algumas gotas de corante e novamente amasse bem.
4. Uma opção interessante é dividir a massa em partes menores e testar diferentes cores.
5. Por fim, coloque algumas gotas do óleo essencial de lavanda.

Hora da diversão

- Depois de prontas, convide a criança para brincar com a massinha fazendo diferentes movimentos: furar, espremer, achatar, enrolar, esticar etc.
- A massinha caseira é perecível, sua durabilidade é curta, portanto, não a guarde.

PROPOSTAS DE ATIVIDADES

Cole aqui uma foto do que você e seu filho criaram com a massinha.

Brincando com caixas

Para você, uma caixa de papelão pode não ser mais do que uma simples caixa. Mas saiba que para seu filho ela pode ser muitas, muitas coisas incríveis: um carro, um castelo, uma cabana, um fogão, um foguete, enfim, qualquer coisa para onde sua criatividade e imaginação o levarem. As possibilidades de criação são infinitas.

Sabendo disso, fica o convite: Que tal providenciar algumas caixas de papelão e brincar com seu filho? Você pode incluir na brincadeira outros materiais não estruturados, como folhas, pedrinhas, galhos, tampinhas, entre outros.

Oksana Kuzmina/Shutterstock.com

PROPOSTAS DE ATIVIDADES

Cole aqui uma fotografia da brincadeira que você e seu filho criaram.

Riccardo Mayer/Shutterstock.com

E por que não a chuva?

Quem nunca ousou brincar na chuva não conhece um dos maiores prazeres que a vida nos proporciona, e de graça!

Se o dia não estiver muito frio e a chuva for amena, sem raios e trovões, não tem com que se preocupar. Se preferir, prepare a capa de chuva e as botas de borracha. Ele vai se molhar, sim, mas também vai se divertir muito, experimentar novas brincadeiras e novas sensações.

Para evitar resfriados, assim que seu filho voltar, deve tomar um banho quentinho. Se quiser deixar o momento ainda mais gostoso, prepare um lanche com um chá ou leite morno para ele repor as energias.

Vivenciar um dia de chuva é inesquecível, além de render boas lembranças e lindas fotos para recordação!

PROPOSTAS DE ATIVIDADES

Escreva quais foram as sensações de tomar um banho de chuva com seu filho.

Faça, com ele, um desenho desse momento.

5 OS CONTOS DE FADAS

Os contos de fadas, com a atmosfera de sonho e linguagem simbólica, representam um dos gêneros narrativos mais adequados para se contar a crianças pequenas.

Eles se originaram em tempos muito antigos, e eram contados de geração em geração. O francês Charles Perrault (1628-1703) foi o primeiro a transcrever os contos de fadas. Depois, os irmãos Grimm, Jacob e Wihelm, fizeram um longo trabalho de resgate dessa tradição oral.

A importância dos contos de fada

As histórias de fantasia possuem funções que vão além de encantar quem as ouve. Elas ensinam às crianças valores importantes, como superar problemas como a morte de um ente querido, lutar pela vida, e a separação dos pais. Também são responsáveis por fazê-las perceber lições de moral e a diferença entre bem e mal. Além disso, o tão famoso final feliz mostra que elas devem sempre ter esperança de um futuro melhor.

Os tradicionais contos também colaboram para o desenvolvimento da criatividade e da imaginação, que tornam a criança mais apta a lidar com problemas na idade adulta. A frase de introdução, que começa com "era uma vez" e sempre remete a um reino distante, faz com que a criança seja estimulada a imaginar realidades diferentes das que vive, transmitindo os valores dessa cultura, assim a criança fica mais tolerante a outras culturas. [...]

BASTOS, Marina. Contos de fada: entenda suas características para criar uma história emocionante. *Blog Marina Bastos conta histórias*. São Paulo, 25 set. 2014. Disponível em: https://marinabastos.com.br/contos-fada/. Acesso em: 18 fev. 2020.

Tatiana Bobkova/Shutterstock.com

Veja a seguir duas sugestões de contos de fadas para contar a seu filho.

O mingau doce

Era uma vez uma menininha muito pobre que morava com sua mãe. Um dia, sem nada para comer, ela foi à floresta à procura de comida. Lá, encontrou uma velha que sabia da miséria em que a menininha vivia com a mãe.

Sensibilizada com a situação, a velha lhe deu uma panela que bastava dizer: "Panelinha, cozinhe", que a panela fazia um delicioso mingau doce. Depois, era só dizer: "Pare, panelinha!", que ela parava de cozinhar.

A menina levou o presente para sua mãe e assim ficaram livres de passar fome, pois tinham sempre mingau doce à vontade.

Certo dia, quando a menina havia saído, a mãe disse: "Panelinha, cozinhe!". A panelinha pôs se a fazer o delicioso mingau doce e a mãe comeu, comeu tanto até não aguentar mais. Quando ela quis parar a panelinha, não sabia quais palavras dizer. Então, o mingau começou a se derramar por toda a cozinha, por toda a casa, e nas casas vizinhas, e em toda a rua, como se quisesse alimentar o mundo inteiro. Foi uma bagunça, pois ninguém sabia como parar a panelinha.

Quando faltava apenas uma casa para ser atingida, a menina voltou. Bastou ela dizer "Pare, panelinha!", que a panelinha parou de cozinhar.

Mas todos os que queriam entrar na cidade precisavam abrir caminho comendo o mingau!

Conto dos Irmãos Grimm recontado especialmente para esta obra.

PROPOSTAS DE ATIVIDADES

Que tal você e seu filho ilustrarem essa história?

Polegarzinha

Shutterstock/svaga

Um belo dia, uma mulher que não conseguia ter filhos recebeu um presente: uma semente. A mulher plantou e esperou que brotasse. Quando a planta deu flores, de dentro dela nasceu uma menina, que a mulher chamou de Polegarzinha. Já que era tão pequenininha. Ela estava feliz, pois finalmente tinha uma filhinha. Cuidava muito bem da menina. Até que um dia, uma rã viu a garotinha e achou que ela daria uma nora perfeita. Então entrou pela janela, roubou Polegarzinha enquanto ela dormia e a levou para o lago. Só que, logo em seguida, um besouro também a achou interessante e a roubou mais uma vez. Os passarinhos, então, ficaram com pena dela e a levaram no bico para longe. E assim foi, até que a menina acabou indo parar no buraco de uma ratazana.

A senhora ratazana ofereceu comida e abrigo a ela e, em troca, Polegarzinha ajudava nos serviços domésticos. Depois de um tempo, a ratazana disse à Polegarzinha: "Você precisa se casar, teremos a visita do senhor toupeira, um homem rico e bom. Ele é cego e precisa de uma esposa que o ampare." A menina não sabia bem o que dizer, mas pensou que seria bom ter a ajuda de alguém, já que também estava desamparada. Ao chegar no buraco da ratazana, o senhor toupeira se apaixonou pela voz da menina e a pediu em casamento. Ficou combinado que a cerimônia seria feita depois que a dona aranha tecesse o vestido de noiva. Polegarzinha não estava muito feliz, mas achava que esse era o jeito...

Um dia viu uma andorinha caída no chão. Ela parecia morta, mesmo assim Polegarzinha cuidou dela e cobriu seu corpo com flores. Quando voltou para casa, descobriu que o vestido finalmente tinha ficado pronto. Agora, a proximidade do casamento tinha começado a angustiá-la e ela não conseguia dormir de tanta tristeza, pois não amava o senhor toupeira. Então, no dia da cerimônia, Polegarzinha tentava esconder seu descontentamento quando, de repente, uma andorinha apareceu voando e levou-a pelo bico. "Achei que você havia morrido, andorinha", a menina falou. "Você me salvou a vida, e agora vou tirá-la daqui. Você pertence a outro lugar", a ave respondeu. Assim, Polegarzinha foi voando para um país encantado, repleto de lindas flores. Dentro da flor mais bela, saiu um rapaz muito bonito, do mesmo tamanho da Polegarzinha. Ele era um príncipe e se apaixonou pela menina. Ofereceu-lhe um outro nome, que tinha mais a ver com aquele lugar, e, feliz, ela passou a se chamar Maia.

ANDERSEN, Hans Christian. Polegarzinha. *In*: CANTON, Katia. *A cozinha encantada dos contos de fadas*. São Paulo: Companhia das Letrinhas, 2015. p. 77.

> Se você quer que seus filhos sejam espertos, leia os contos de fadas; se você quer que eles sejam mais inteligentes, leia mais contos de fadas. Quando examino a mim mesmo e meus métodos de pensar, chego à conclusão de que o dom da fantasia significava mais para mim do que qualquer talento do pensamento abstrato e positivo.
>
> Albert Einstein

PROPOSTAS DE ATIVIDADES

E na sua casa? Quais contos de fadas fazem sucesso? Escreva abaixo os preferidos de seu filho.

Shutterstock/ayelet-keshet

Para ler

Meu primeiro livro de contos de fadas, de Mary Hoffman (Companhia das Letrinhas, 2003).

Alguns dos mais belos contos de fadas da tradição europeia são narrados de forma poética e divertida.

Companhia das Letrinhas

6 CULINÁRIA

weverbreakmedia/Shutterstock.com

Você sabia que uma experiência culinária é uma ótima oportunidade de aprendizado? A criança pode despertar para uma alimentação mais saudável e exercitar noções de Matemática (soma de ingredientes, unidades de medidas e contagem de tempo e temperatura); Linguagens (diferentes gêneros textuais e enriquecimento do vocabulário); Ciências (origem e propriedade dos ingredientes e mistura de substâncias e higiene), dentre outros conteúdos. Além, é claro, de ser muito divertido ajudar os adultos na cozinha. Coloquem os aventais e vamos cozinhar!

Para ler

A cozinha encantada dos contos de fadas, de Katia Canton (Companhia das Letrinhas, 2015).

Cozinhar é uma tarefa mágica. Neste livro, a autora reuniu o encanto da culinária com a fantasia dos contos de fadas para apresentar as diversas receitas que aparecem em histórias como Cinderela, Pele de Asno, O Gato de Botas e muitas outras.

Companhia das Letrinhas

Amanda no país das vitaminas, de Leonardo Mendes Cardoso (Editora do Brasil, 2016).

Amanda não gosta de comida. Na hora da fome, seus alimentos favoritos são salgadinhos e outras guloseimas nada saudáveis. Por isso, seu corpo está sofrendo... Faltam vitaminas essenciais para sua saúde. Até que um dia ela vai parar dentro da gaveta da geladeira e, com os legumes e as verduras que lá vivem, descobre algo muito importante para sua alimentação.

Editora do Brasil

Além de príncipes, princesas, sapos, dragões e todo encantamento dos contos de fadas, há outro elemento que está sempre presente nas histórias: a comida. Então, que tal reunir duas atividades deliciosas: a contação de história e a culinária?

Cozinhar pode ser uma experiência mágica! Como cita Katia Canton em seu livro *A cozinha encantada dos contos de fadas* (2016).

> É isso, de repente, a farinha vira bolo, o ovo dá num quindim. As coisas se transformam, ganham brilho, vida e graça. Como num passe de varinha de condão!

PROPOSTAS DE ATIVIDADES

Bolo das fadas

Sugerimos a seguir uma receita baseada em uma história. Lembra-se da Polegarzinha? Pois bem, uma menina tão pequenininha requer um bolo também pequenininho. Vamos fazê-lo?

Ingredientes:

- 3 ovos;
- 50 g de açúcar de confeiteiro;
- 2 colheres (sopa) de leite;
- 1 xícara (chá) de farinha com fermento;
- 1 colher (chá) de essência de baunilha;
- 75 g de manteiga sem sal derretida;
- 50 g de açúcar de confeiteiro;
- 75 g de *cream cheese*;
- confeitos coloridos, granulados e outros ingredientes para decoração.

Modo de preparo

Camila de Godoy

Massa

1. Preaqueça o forno a 180 graus.
2. Com um *fouet*, bata bem os ovos, o açúcar e o leite até a mistura ficar homogênea.
3. Aos poucos, coloque a farinha.
4. Por último, acrescente a essência de baunilha e a manteiga derretida.
5. Misture bem.
6. Unte seis forminhas com manteiga e encha-as com a massa.
7. Leve ao forno por aproximadamente 20 minutos.
8. Desenforme depois que esfriar.

Cobertura

1. Misture o *cream cheese* com o açúcar de confeiteiro até ficar uma pasta homogênea.
2. Espalhe a pasta em cima dos bolinhos.
3. Decore com confeitos coloridos, granulados, frutas e o que mais achar conveniente.
   A receita rende 6 bolinhos.
   Depois de prontos, convide a família para degustar os bolinhos das fadas.

Panquecas coloridas

Outra opção saudável e divertida são as panquecas coloridas. Seu filho gosta de novidades? Que tal fazer essa receita com ele?

Panqueca laranja (cenoura)

gst/Shutterstock.com

Ingredientes:

- 1 xícara de leite
- 2 xícaras de cenoura ralada
- 2 ovos
- 1 xícara de farinha
- 1 colher de sopa de óleo
- 1 colher de café rasa de sal

Modo de fazer

Bater no liquidificador o leite, a cenoura, os ovos, a farinha, o óleo e o sal. Numa frigideira, passar um pouco de manteiga e colocar a massa e fazer as panquecas.

Panqueca rosa (beterraba)

Andrii Bezvershenko/Shutterstock.com

Ingredientes:

- 1 xícara de leite
- 1 ½ xícara de beterraba ralada
- 2 ovos
- 1 xícara de farinha
- 1 colher de sopa de óleo
- 1 colher de café rasa de sal

Modo de fazer

Bater no liquidificador o leite, a beterraba, os ovos, a farinha, o óleo e o sal. Numa frigideira, passar um pouco de manteiga e colocar a massa e fazer as panquecas.

Panqueca do Shrek (espinafre)

Ingredientes:

- 1 xícara de farinha de trigo
- 1 e ½ xícara de leite ou água
- 2 ovos
- Sal a gosto
- 2 xícaras de espinafre cru
- Salsa a gosto

rudall30/Shutterstock.com

Modo de fazer

Colocar no liquidificador todos os ingredientes. Se ficar muito grossa a massa, coloque mais água ou leite. Coloque cerca de 2 colheres de sopa da massa de cada vez numa frigideira antiaderente e frite por cerca de 2 minutos, ou até parar de borbulhar no meio da massa. Vire e doure do outro lado.

[...]

Sugestões de recheios

- Carne moída colorida: carne moída, cenoura ralada, beterraba ralada, queijo branco picadinho.
- Frango desfiado colorido: frango desfiado, tomate em cubinhos, cenoura ralada, queijo branco picadinho.
- Primavera: legumes variados (espinafre, brócolis, abobrinha, cenoura, tomate e queijo branco.

VUONO, Tati de. Aprenda a fazer panquecas coloridas e nutritivas. *Criança bem nutrida*. [S. l.: s. n.], 6 maio 2014. Disponível em: https://criancabemnutrida.com/2014/05/06/aprenda-a-fazer-6-tipos-de-massas-de-panquecas-coloridas/. Acesso em: 19 fev. 2019.

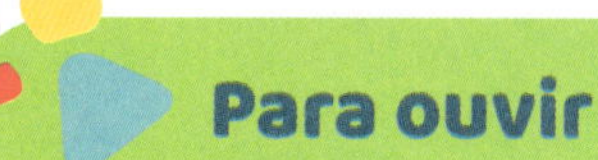

Para ouvir

ONG Toca o Bonde – Usina da Gente

Samba pras crianças, de Biscoito Fino e vários artistas. Dez meninos e meninas da ONG Toca o Bonde – Usina da Gente cantam sambas como *Marinheiro só* e *Batuque na cozinha* em uma linguagem acessível e agradável aos ouvidos.

Receita de família

Toda família tem uma receita que tem história para contar e só de pensar dá água na boca. Qual é a receita mais tradicional de sua família? Registre o nome dela abaixo com a ajuda de seu filho.

Jiri Hera/Shutterstock.com

Escreva um pouco sobre essa receita. Quem a faz? Em que ocasiões?

7 ATENÇÃO AOS ELETRÔNICOS

O uso de *smartphones*, *tablets* e jogos eletrônicos é muito frequente no dia a dia de crianças, adolescentes e até de bebês.

Segundo a Organização Mundial da Saúde (OMS), crianças de até 5 anos de idade não devem passar mais de 60 minutos por dia em atividades passivas diante de uma tela de *smartphone*, computador ou TV.

Campanha Conecte-se ao que importa/DEDICA–Associação dos Amigos do Hospital de Clínicas/TIF Comunicação

Daniel Jedzura/Shutterstock.com

Há benefícios e malefícios que têm acompanhado a tecnologia digital. [...]

Crianças menores de seis anos precisam ser mais protegidas da violência virtual, pois não conseguem separar a fantasia da realidade. Jogos *on-line* com cenas de tiroteios com mortes ou desastres, que ganhem pontos de recompensa como tema principal, não são apropriados em qualquer idade, pois banalizam a violência como sendo aceita para a resolução de conflitos, sem expor a dor ou sofrimento causado às vítimas, contribuem para o aumento da cultura de ódio e intolerância e devem ser proibidos. [...]

Brincar mais com seu/s filho/s de maneira interativa, olhando, abraçando, sendo parceiro e estando ao lado deles, sempre que precisar, supervisionando e construindo uma relação de confiança, para a vida, juntos. Para isso, não se precisa de telas de televisão, computadores ou celulares ligados! [...]

Lembrar sempre que você como adulto, pai ou mãe, e, com a convivência diária, se torna um modelo de referência para seus filhos. Portanto, deve dar o primeiro exemplo, limitando o seu tempo de trabalho no computador, quando estiver em casa. Desconectar e estar presencialmente com seus filhos. [...]

SOCIEDADE BRASILEIRA DE PEDIATRIA. Saúde de crianças e adolescentes na Era Digital. *Manual de Orientação*: departamento de adolescência. Rio de Janeiro: SBP, n. 1, p. 1, 3, 6, out. 2016. Disponível em: www.sbp.com.br/fileadmin/user_upload/2016/11/19166d-MOrient-Saude-Crian-e-Adolesc.pdf. Acesso em: 19 fev. 2020.

Conecte-se com o que importa!

Não apenas as crianças estão desenvolvendo uma dependência dos aparelhos digitais, como os adultos estão deixando de lado o convívio familiar em detrimento do mundo digital.

Um estudo do Conselho Regional de Medicina do Paraná indicou que 87% das crianças brasileiras se sentem substituídas por um celular. Esse fato já está recebendo o nome de "violência virtual" e também pode ser considerado abuso infantil.

Para a médica pediatra e psicanalista Luci Pfeiffer, doutora em Saúde da Criança e do Adolescente pela UFPR, o vício está generalizado e alcança adultos e crianças, pais e filhos. Ela alerta que o celular e outras mídias estão ocupando o lugar do vínculo familiar, alterando e fazendo mal à formação das crianças, o que pode ser considerado como uma forma de violência contra a infância.

Fontes: Conselho Regional de Medicina do Paraná; Defesa dos Direitos da Criança e do Adolescente (Dedica); Associação dos Amigos do Hospital de Clínicas (AAHC).

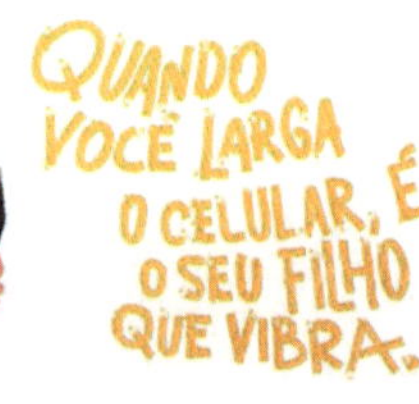

Campanha Conecte-se ao que importa/DEDICA–Associação dos Amigos do Hospital de Clínicas/TIF Comunicação

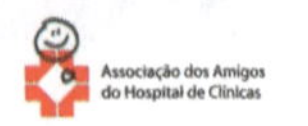

Campanha Conecte-se ao que importa/DEDICA–Associação dos Amigos do Hospital de Clínicas/TIF Comunicação

Curta a vida dela como você curte a dos outros.

Conecte-se ao que importa.

Campanha Conecte-se ao que importa/DEDICA–Associação dos Amigos do Hospital de Clínicas/TIF Comunicação

Algumas dicas para as crianças lidarem bem com as novas tecnologias

- Não divida o seu *tablet* ou *smartphone* com a criança. Deixe que ela use exclusivamente seu aparelho antigo, por exemplo, apenas com os jogos de que gosta. Desative o *wi-fi*, as redes sociais e o seu *e-mail* – que, nos aparelhos "*touch screen*", podem facilmente ser abertos por um toque. "Assim, ela não chega a conteúdos que não deveria acessar. Libere outros conteúdos aos poucos, conforme a demanda da criança", explica a psicóloga Andrea Jotta, do Núcleo de Pesquisa da Psicologia em Informática (NPPI) da PUC-SP.
- Combine com seu filho os horários em que vai ele vai poder jogar *games* e equilibre o tempo dele com outras atividades: brincadeiras no *playground*, passeios ao ar livre, lição de casa e cursos extras. "Você pode achar que as crianças de hoje em dia são mais espertas, mas isso não significa que são mais maduras emocionalmente", explica o psicólogo Marcelo Neumann, professor da Universidade Presbiteriana Mackenzie. "Os *joysticks* e os teclados podem até estimular a coordenação motora, mas o escorregador e o balanço do parquinho ajudam na psicomotricidade global", diz. [...]
- Apesar de ser irresistível usar *tablets* e *smartphones* como "babás", esse hábito deve ser evitado e usado como exceção – como quando você precisa terminar um trabalho ou seu filho não fica quieto no restaurante de jeito nenhum. Nessas ocasiões, também vale ter outras opções à mão, como brinquedos, livros, papel e lápis de cor. Assim é possível não exagerar no uso dos *gadgets*.
- Avise também aos avós, tios e à babá para que não façam o mesmo quando estiverem com a criança. O ideal é que os aparelhos sejam ferramentas que você também possa acessar junto com a criança – e não algo para distraí-la. [...]
- Assim como você sabe os desenhos animados que a criança assiste na TV, é preciso saber qual é o conteúdo que ela acessa nos *tablets*. "É preciso garimpar entre tantas opções e se informar sobre quais são os melhores", diz Maria Claudia Brígido, criadora do *site iPad* Família e mãe de Isabel, 4 anos. [...]

TINTI, Simone. 10 dicas para o seu filho lidar bem com as novas tecnologias. *Crescer*, São Paulo, 18 set. 2013. Disponível em: https://revistacrescer.globo.com/Crescer-Inteligente-por-Sustagen-Nutriferro/noticia/2013/09/10-dicas-para-o-seu-filho-lidar-bem-com-novas-tecnologias.html. Acesso em: 19 fev. 2020.

CONECTE-SE AO QUE IMPORTA. Associação dos Amigos do Hospital de Clínicas

Campanha Conecte-se ao que importa/DEDICA–Associação dos Amigos do Hospital de Clínicas/TIF Comunicação

PROPOSTAS DE ATIVIDADES

Uso de eletrônicos na família

Como sua família lida com os eletrônicos? Para auxiliar na análise, sugerimos que os pais e outros cuidadores façam os seguintes questionamentos:

- O tempo diante de telas de aparelhos na minha casa é controlado?
- O uso dessas telas substitui as horas de lazer?
- O uso desses aparelhos interfere no sono da família?
- Nós utilizamos eletrônicos durante as refeições?
- Eu sinto que deveria passar menos tempo no celular?

suriyachan/Shutterstock.com

Faça um pequeno texto relatando como é o uso de eletrônicos em sua casa, com sua família, e de que forma vocês podem tornar esse uso mais adequado.

____

____

____

____

____

____

REFLEXÃO FINAL: PARA EDUCAR UM FILHO

Era uma sessão de terapia. "Não tenho tempo para educar a minha filha", ela disse. Um psicanalista ortodoxo tomaria essa deixa como um caminho para a exploração do inconsciente da cliente. Ali estava um fio solto no tecido da ansiedade materna. Era só puxar um fio... Culpa. Ansiedade e culpa nos levariam para os sinistros subterrâneos da alma. Mas eu nunca fui ortodoxo. Sempre caminhei ao contrário na religião, na psicanálise, na universidade, na política, o que me tem valido não poucas complicações. O fato é que eu tenho um lado bruto, igual àquele do Analista de Bagé. Não puxei o fio solto dela. Ofereci-lhe meu próprio fio. "Eu nunca eduquei meus filhos...", eu disse. Ela fez uma pausa perplexa. Deve ter pensado: "Mas que psicanalista é esse que não educa os seus filhos?". "Nunca educou seus filhos?", perguntou. Respondi: "Não, nunca. Eu só vivi com eles". Essa memória antiga saiu da sombra quando uma jornalista, que preparava um artigo dirigido aos pais, me perguntou: "Que conselho o senhor daria aos pais?". Respondi: "Nenhum. Não dou conselhos. Apenas diria: a infância é muito curta. Muito mais cedo do que se imagina os filhos crescerão e baterão as asas. Já não nos darão ouvidos. Já não serão nossos. No curto tempo da infância há apenas uma coisa a ser feita: viver com eles, viver gostoso com eles. Sem currículo. A vida é o currículo. Vivendo juntos, pais e filhos aprendem. A coisa mais importante a ser aprendida nada tem a ver com informações. Conheço pessoas bem informadas que são idiotas perfeitos. O que se ensina é o espaço manso e curioso que é criado pela relação lúdica entre pais e filhos". Ensina-se um mundo! Vi, numa manhã de sábado, num parquinho, uma cena triste: um pai levara o filho para brincar. Com a mão esquerda empurrava o balanço. Com a mão direita segurava o jornal que estava lendo... Em poucos anos, sua mão esquerda estará vazia. Em compensação, ele terá duas mãos para segurar o jornal".

ALVES, Rubem. *Ostra feliz não faz pérola*. 2. ed. São Paulo: Planeta, 2014. p. 113-114.

Flashon Studio/Shutterstock.com

nd3000/Shutterstock.com

MENSAGEM FINAL DOS PAIS